2022/23

시즌 하이라이트

글/그림: 장원석

stepstone900@naver.com
https://blog.naver.com/piccalcio
https://www.instagram.com/piccalcio
https://www.instagram.com/piccalcio_matches

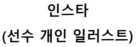

블로그   인스타   인스타

(선수 개인 일러스트)   (경기)

목차

2023

22/7/30
킹 파워 스타디움, 레스터
2022 커뮤니티 쉴드
리버풀 3-1 맨시티

새 시즌 프리미어리그에 앞서 전초전을 알리는 맞대결. 이번에는 양팀의 특급 신입 생 누네즈 vs 홀란드의 맞대결로 관심을 많이 모았었는데 누가 봐도 전자의 완승으로 끝났다,

리버풀 2022 커뮤니티 쉴드 우승

커뮤니티 쉴드 일정을 왜 꼭 지금 소화해야 하냐고 직전에 불평을 했지만 그래도 위너가 된 클롭 감독은 리버풀에서 7번째 다른 트로피를 수집하며 국내 트로피는 모두 다 들어볼 수 있게 되었다. 첫 시즌에 준우승에 그쳤던 유로파리그 빼고 가능한 트로피 수집을 다 해 본 셈.

22/7/30
레드불 아레나, 라이프치히
2022 DFL 슈퍼컵
라이프치히 3-5 바이에른 뮌헨

지난 시즌 구단 역사상 최초로 포칼에서 우승한 라이프치히가 내친 김에 슈퍼컵까지 도전해봤지만 '레반도프스키 없어도 뮌헨 하는데는 노 프로블럼' 뮌헨의 벽은 역시 높았다. 무시알라, 마네, 파바르, 그나브리, 사네 등 다른 5명이 득점을 터뜨리며 당연하다는듯이 올 시즌 첫 트로피 에피타이저를 획득했다.

바이에른 2022 DFL 슈퍼컵 우승

통산 10번째 우승으로 이 대회에서도 역시 압도적인 최강자다. 올 시즌에는 마네, 데 리흐트 등과 새로 함께 하게 되는데 그보다 레비가 없다는 점이 더 주목을 받고 있으며 그 없이도 분데스리가 11연패 여부와 챔스에서 어떤 모습을 보여줄지...?

22/7/31
블룸필드 스타디움, 텔 아비브
2022 트로피 데 샹피옹
PSG 4-0 낭트

프랑스의 슈퍼컵을 이스라엘까지 가서 한다라... 메시, 라모스, 네이마르 등의 득점으로 어제의 뮌헨처럼 뭐 전혀 놀랍지않게 대승을 거두며 올 시즌 첫 트로피 수집에 나섰다.

PSG 2022 트로피 데 샹피옹 우승

리그 앙이랑 마찬가지로 이 프랑스의 슈퍼컵도 2000년대 초중반까지는 리옹이 다 해먹다가 PSG가 2013년부터 지금까지 9번을 더해서 총 11회로 단독 1위가 되었다. 앞으로도 더 벌어질 듯하다. 음바페는 경고 누적으로 인해 이 경기에 출전을 못하게 됨으로써 트로피 하나 거저먹기에 실패했다.

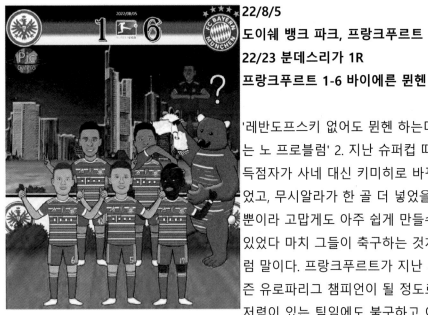

22/8/5
도이쉐 뱅크 파크, 프랑크푸르트
22/23 분데스리가 1R
프랑크푸르트 1-6 바이에른 뮌헨

'레반도프스키 없어도 뮌헨 하는데는 노 프로블럼' 2. 지난 슈퍼컵 때 득점자가 사네 대신 키미히로 바뀌었고, 무시알라가 한 골 더 넣었을 뿐이라 고맙게도 아주 쉽게 만들수 있었다 마치 그들이 축구하는 것처럼 말이다. 프랑크푸르트가 지난 시즌 유로파리그 챔피언이 될 정도로 저력이 있는 팀임에도 불구하고 이 정도면 올 시즌도 어우뮌 (어차피 우승은 뮌헨) 예약 확정 ㅇㅈ? 보통 리그 1 라운드 첫 경기만 보고 긍정적으로던 부정적으로던 섣부른 판단하면 안 된다 지만 뮌헨이라면 얘기가 좀 다르다.

22/8/5
22/23 프리미어리그 개막!

22/8/5
셀허스트 파크, 런던
22/23 프리미어리그 1R
크리스탈 팰리스 0-2 아스날

리그 개막 축포를 아르테타의 아스날이 원정에서 산뜻하게 1위로 시작. 이때만 해도 사카와 마르티넬리 얼굴이 없었다.

22/8/6
크레이븐 코티지, 런던
22/23 프리미어리그 1R
풀럼 2-2 리버풀

일주일 전 커뮤니티 쉴드 우승으로 시즌을 산뜻하게 시작해야 할 리버풀이 정작 리그는 그렇게 하지 못했다. 누네즈는 프리미어리그 데뷔골 신고, 살라는 리버풀 입단 후 6시즌 연속 개막전 득점 행진을 이어가고 있다. 하지만 이 경기의 주인공은 멀티골을 터뜨린 지난 시즌 챔피언쉽 득점왕 미트로비치였다. 과연 올 시즌은 프리미어리그에서도 통할것인가?

22/8/6
토트넘 핫스퍼 스타디움, 런던
22/23 프리미어리그 1R
토트넘 4-1 사우스햄튼

이미 7년째 손흥민의 팀으로 국내 인기가 많았지만 올 여름 프리 시즌 때 내한으로 호감도를 더더욱 높인 토트넘. 실전 리그에서도 역전승으로 아주 좋은 출발을 끊었다.

22/8/6
구디슨 파크, 머지사이드
22/23 프리미어리그 1R
에버튼 0-1 첼시

첫 판부터 램파드 더비로 시작한 첼시. 에버튼 쪽에서 두 명 부상 아웃으로 악재가 생기는 등 추가 시간이 굉장히 길어졌고 둘다 첫 판부터 상당히 지치는 경기를 했다. 에버튼 쪽이 더 고생했겠지만 말이다. 긴 경기 끝에 투헬의 첼시는 조르지뉴의 PK 하나로 진땀 승 출발.

22/8/7
올드 트래포드, 맨체스터
22/23 프리미어리그 1R
맨유 1-2 브라이튼

"?? 텐하흐 아웃"
프리시즌에 그렇게 기대하게 해놓고 개막전 홈경기에서 브라이튼한테 진다고? 전반에만 0-2로 끌려가다가 후반에 한 골 만회했는데 그나마도 자책골이며, 벤치에서 시작했다가 투입된 호날두도 결과를 바꾸지 못했다. 같은 더치맨 반 할 감독이 14/15 시즌 개막전 OT에서 스완지와 데뷔전을 치르면서 당한 1-2 패배와 완전 데자뷔... 이 감독 괜찮을까?

22/8/7
올림픽 스타디움, 런던
22/23 프리미어리그 1R
웨스트햄 0-2 맨시티

"홀란드의 진짜 시즌 시작은 지금부터다!" 일주일 전 리버풀과의 커뮤니티 쉴드에서 누네즈와의 맞대결에서는 다소 자존심을 구겼지만 프리미어리그 데뷔전에서부터 멀티골을 뽑아내며 자신의 존재감을 영국, 그리고 프리미어리그 팬들에게 알렸다.

22/8/10

올림픽 스타디움, 헬싱키

2022 UEFA 슈퍼컵

레알 마드리드 2-0 프랑크푸르트

레알은 알라바와 벤제마의 득점으로 이 대회 타이틀에 구단 역사상 최초로 도전했던 프랑크푸르트를 물리쳤다. 역대 다섯번째 우승으로 최다 우승팀이었던 밀란, 그리고 라이벌 바르셀로나와 동률을 이루는데 성공했다.

레알 마드리드 2022 UEFA 슈퍼컵 우승

22/8/13
에티하드 스타디움, 맨체스터
22/23 프리미어리그 2R
맨시티 4-0 본머스

시티의 리그 첫 홈경기 귄도안, 데
브라이너, 포든의 득점으로 역시나
가뿐하게 대승을 거두며 무실점 2연
승. 본머스가 전통적으로 검빨 유니
폼을 입는데 마침 맨시티의 올 시즌
어웨이 킷이 검빨 색상이라 마치 B군
팀과 붙는 듯한 수준의 경기 양상이
었다.

22/8/13
에미레이츠 스타디움, 런던
22/23 프리미어리그 2R
아스날 4-2 레스터

GGG (그라니트, 가브리엘 x2) 의 득
점으로 거너스도 리그 첫 홈경기를
산뜻하게 출발했다. 제수스 영입은
올 시즌 빅 이적 중 하나로 꼽히는데
홈팬들 앞에서 처음 선보인 그의 공
식 경기 활약은 올시즌 기대하게 만
들기에 충분했다 아스날의 9번.

22/8/13
브렌트포드 커뮤니티 스타디움,
브렌트포드
22/23 프리미어리그 2R
브렌트포드 4-0 맨유

안그래도 이미 홈에서 치른 개막전에서 패배를 안고 시작했던지라 여러 말 나왔었는데 두번째 경기에서는 더더욱 심각한 참사가 난지라 전 세계 곳곳에서 많은 맨유팬들의 곡소리가 들리는 듯. 모예스와 반 할 소환이 전혀 이상하지 않았고 그 덕분에 없던 모예스의 얼굴까지 이번 기회에 생성하게 되었다. 자국 리그의 아약스에서 최강자 놀이하다가 프리미어리그에 왔어도 첫 두 경기에서 이 정도로 고난을 겪을거라곤...? 이번에 맨유에 합류하게 된 에릭센은 친정팀에게 당한 셈이고, 프리시즌에 여러 모로 잡음이 많았던 호날두는 아직 닫히지 않은 이적시장을 통하여 본인이 앞으로 더 잘해서 팀을 살리긴 커녕 탈출 욕구가 더 컸을 것이 뻔하다. 과연 올 시즌 맨유, 텐 하흐, 호날두 각각의 운명은...?

22/8/13
22/23 세리에A 개막

역대 세 번째 코리안 세리에 리거에 합류하게 된 김민재와 함께 시작한다.

13

22/8/13
산 시로, 밀라노
22/23 세리에A 1R
밀란 4-2 우디네세

지난 시즌 11년만에 스쿠데토를 들게 된 디펜딩 챔피언 밀란 레비치의 멀티골 등 홈에서 다득점을 뽑아내며 산뜻하게 승점 3점으로 출발.

22/8/13
비아 델 마레, 레체
22/23 세리에A 1R
레체 1-2 인테르

전전 시즌 11년만에 스쿠데토를 따냄으로써 디펜딩 챔피언 타이틀을 얻었다가 전 시즌 라이벌 밀란에게 빼앗겼던 인테르. 우승할 당시 밀라노의 왕이었던 루카쿠를 한 시즌 걸러 다시 임대로 데려와 올 시즌 다시 왕좌 탈환을 노리는데 리그 개막 84초만에 득점 신고! 그러나 돌아온 승격팀 레체 상대로 무재배 각이 씨게

나오던 후반 막판 코너킥에서 둠프리스의 버저비터 배치기 골로 첫 판부터 팬들 심장 뛰게 만드는 승리를 챙겨갔다. 아주 경기 처음을 열고 끝을 닫으셨다!

22/8/14
스탬포드 브릿지, 런던
22/23 프리미어리그 2R
첼시 2-2 토트넘

올 시즌 프리미어리그 첫 빅매치가 스탬포드 브릿지에서 성사되었다. 쿨리발리의 쿨한 발리 골부터 시작해서 명성에 걸맞게 아주 뜨거운 경기가 되었고 이 뜨거운 경기 의 마무리는 케인의 버저비터 헤딩 동점골로 마무리... 되는 줄 알았다. 휘슬이 울렸으면 그걸로 끝나야 맞는건데 콘테와 투헬 감독이 경기 종료 후 악수하는 과정에서 퐈이아가 나며 큰 이슈를 낳았다. 한 성깔에서 둘 째 가라면 서러운 두 인물이 맞닥뜨렸으니...

22/8/14
스타디오 올림피코, 로마
22/23 세리에A 1R
라치오 2-1 볼로냐

볼로냐가 2득점하고 라치오가 1득점 했으나 라치오 승리 (볼로냐 주장 데 실베스트리 자책골) 거의 동시간 대에 영국에서 치뤄진 빅매치 첼시-토트넘 경기처럼 양쪽 한명씩 퇴장 당한 건 똑같다. 하지만 그쪽은 콘테와 투헬이 퐈이아로 인한 감독들 퇴장, 이쪽은 선수 퇴장. 이쪽에서도 한 성깔이라면 빠지지 않는 사리와 미하일로비치 감독은 평온했다. 그냥 무탈하게 노멀한건데 같은 시간대에 저쪽 동네가 하도 핫해서 그만...

15

22/8/14
아레키 스타디움, 살레르노
22/23 세리에A 1R
살레르니타나 0-1 로마

얼마전까지 로마에서 뛰던 수비수 파지오는 살레르니타나의 주장을 달고 로마를 개막전에서 만났다. 경기는 크리스탄테의 결승골로 로마 신승.

22/8/15
안필드, 리버풀
22/23 프리미어리그 2R
리버풀 1-1 크리스탈 팰리스

커뮤니티 쉴드에서 맨시티를 꺾으며 산뜻한 시즌 출발이 예상됐던 리버풀은 의외로 초반 두 경기에서 난항을 겪고 있다. 물론 다음 라운드에 붙을 맨유에 비할 바는 아니지만... 이전 두 경기에서 모두 득점을 올렸던 누네즈는 이번이 안필드 홈팬들에게 선보이는 첫 공식경기였는데 지고 있는 상황에서 상대 선수의 도발을 참지 못하며 다이렉트 퇴장을 당해버렸다. 지난 시즌에 괜찮은 활약을 해주었던 같은 남미의 디아즈가 그나마 팀을 구해줘서 무재배라도 건졌다.

22/8/15
벤테고디, 베로나
22/23 세리에A 1R
베로나 2-5 나폴리

'일 베로 나폴리 = 진짜 나폴리'
쿨리발리, 인시녜, 메르텐스 동시 이
탈로 전력 약화가 우려되는 나폴리
였는데 웬걸... 한 경기라 속단하기
이르지만 김민재를 포함한 나폴리의
올 시즌 신입생들이 각자 제몫을 해
주며 화끈한 화력으로 산뜻한 시즌
출발을 하였다. 현재 디에고 시메오
네 감독의 아들이자 베로나 공격수
지오반니 시메오네도 협상 중인데 이 경기 하나로 그의 마음을 흔들기에는 충
분하지 않을까.

22/8/15
알리안츠 스타디움, 투린
22/23 세리에A 1R
유벤투스 3-0 사수올로

이번 유벤투스의 빅영입이었던 디
마리아는 경기 시작한지 얼마 안돼
서 세리에 데뷔골 을 터뜨리며 홈팬
들에게 특유의 하트 세레모니를 선
보였다. 지난 시즌 후반기에 넘어와
서 빼어난 활약을 했던 공격수 블라
호비치도 제대로 된 풀시즌의 첫 경
기부터 득점 신고를 했다. 지난 두
시즌 양 밀란에게 스쿠데토를 빼앗
기며 전성시대는 이제 끝났다는 소리를 듣고 있는 유벤투스 는 올 시즌 명예
회복에 나선다.

22/8/20
토트넘 핫스퍼 스타디움, 런던
22/23 프리미어리그 3R
토트넘 1-0 울버햄튼

이 경기 유일한 골로 승리를 안겨다 준 케인은 토트넘에서만 185호 골로 프리미어리그 단일 클럽 최다골 부문에서 아구에로(시티에만 184골)를 제치게 되었다.

22/8/20
비탈리티 스타디움, 본머스
22/23 프리미어리그 3R
본머스 0-3 아스날

캡틴 외데고르의 멀티골로 가볍게 완승을 거두며 '테타볼'은 개막후 3전 전승을 거두었다.

22/8/21
앨런드 로드, 리즈
22/23 프리미어리그 3R
리즈 3-0 첼시

"리알 마드리드한테 진거니까 부끄러워말라" 실제로 찐 레알 마드리드를 이기고 빅이어를 들었던 투헬 감독인데 개막 후 불안불안하던게 결국 벌써 터져버리고 말았다. 물론 리즈도 얼핏 보면 유니폼 외관상 레알인가 싶을 정도로 리즈 시절 퍼포먼스를 펼쳤다. 그리고 지난 토트넘과의 경기에서 첼시 데뷔골을 신고했던 빅 수비수 쿨리발리는 이번에 다이렉트 퇴장을 당하면서 문제를 안겼다. 공교롭게도 같은 날 그의 공백을 메꾸고 있는 나폴리의 김민재는 득점을...

22/8/21
세인트 제임스 파크, 뉴캐슬
22/23 프리미어리그 3R
뉴캐슬 3-3 맨시티

뉴캐슬의 이번 시즌 전망은 굉장히 높게 평가 받았었는데 맨시티를 상대로 첫 승점 드랍을 안기며 정말 그 이유를 보여주었고 심지어 이기지 못한게 아쉬울 정도. 일주일에 한 경기 꼴로 리그에만 집중하게 될 하우의 뉴캐슬은 이 날의 퍼포먼스로 일관하면 기존 빅6를 깨는 것을 넘어 챔피언스리그까지 노리는게 결코 꿈은 아닌 듯.

22/8/21
스타디오 디에고 아르만도 마라도나, 나폴리
22/23 세리에A 2R
나폴리 4-0 몬차

이름 어려운 처음 보는 조지아 선수 흐비차 크바라츠켈리아의 첫 골은 인시녜를 떠올리게 하는 오른발 감아차기 슛, 두 번째 골은 2010 챔스 결승에서 반 부이튼을 제끼는 밀리토를 떠올리게 만들었다. 그리고 국내팬들에게 하이라이트는 경기의 정점이자 마무리를 찍게 된 김민재의 세리에 데뷔골!

22/8/21
게비스 스타디움, 베르가모
22/23 세리에A 2R
아탈란타 1-1 밀란

경기 내용과는 별개로 우크라이나 출신의 말리노우스키 그의 조국에 하루라도 빨리 평화가 깃들기를 기원한다. 만만찮은 원정 첫 경기를 치른 디펜딩 챔피언 밀란은 두 경기만에 승점을 드랍하고 말았고, 물론 이제는 강팀 이미지로 굳어진 아탈란타도 여전히 주목 대상이다.

22/8/22
스타디오 올림피코, 로마
22/23 세리에A 2R
로마 1-0 크레모네세

"거 이기면 장 땡"
상대가 승격팀이고 뭐고 무리뉴 감독은 또 우노제로(1:0)로 마무리 지었는데 이기면 뭐 사실 딱히 크게 할 말은 없다. 근데 안타깝게도 자니올로와 바이날둠을 부상으로 잃었는데 디발라와 함께 올 시즌 신입생인 바이날둠은 정도가 심각해보인다...

22/8/22
루이지 페라리스, 제노바
22/23 세리에A 2R
삼프도리아 0-0 유벤투스

"아직까지 180분 무실점인데 불만 있는 사람?" 알레그리는 결과보다도 그의 어처구니없는 가두리 (팀 전원이 상대 전원을 무의미하게 가두고 있음) 전술과 유효슈팅 0이라는 처참한 기록 등등 전세계 커뮤니티에서 조리돌림 감이 되었다. 하지만 정말로 무실점을 했다는데에 포커스를 맞추는듯한 그의 인터뷰는 유베 팬들의 화를 더욱 돋궜다.

22/8/22
올드 트래포드, 맨체스터
22/23 프리미어리그 3R
맨유 2-1 리버풀

시즌 쌩초반임에도 불구하고 '멸망의' 라는 수식어가 붙을 수 밖에 없는 이번 노스웨스트 더비. 승점 0점의 맨유는 주중에 그래도 카세미루 영입이라는 깜짝 희소식이 있었다. 산초와 래쉬포드가 위기의 텐하흐 감독과 구단을 지옥의 구렁텅이로부터 살려내며 이제야 제대로 된 시즌 시작임을 알렸다. 지난 두 경기와는 달리 벤치를 지키던 매과이어의 활약도 빼놓을 수 없다. 맨유는 이제 모든 조롱의 화살을 리버풀에게 단 번에 넘겨줬다.

22/8/26
스타디오 올림피코, 로마
22/23 세리에A 3R
라치오 3-1 인테르

"자기 형 이쯤되면 라치오로 컴백하고 싶은겨?" 지난 시즌 이 곳에서의 똑같은 스코어로 데자뷰가 되면서 인자기 감독에게 농담 반 진담 반으로 이런 말이 나오는 이유가 지난 시즌 인테르에 부임 이후 당한 리그 패배가 오늘까지 5패밖에 되지 않기 때문...

22/8/27
세인트 메리 스타디움, 사우스햄튼
22/23 프리미어리그 4R
사우스햄튼 0-1 맨유

"텐 하흐 이제 감 잡았나?"
개막 후 두 경기 최악의 스타트를 끊었던 맨유가 리버풀과의 노스웨스트 더비에서 승리하더니 분위기 타 2연승을 이어 가면서 금방 승패 균형을 맞췄다. 브렌트포드전에서 첫 선을 보였다가 트라우마로 남을 뻔한 저 잔디스러운 킷을 입고 오늘 맨유팬들에게 첫 선을 보였다 카세미루가.

22/8/27
스탬포드 브릿지, 런던
22/23 프리미어리그 4R
첼시 2-1 레스터

올 시즌 신입생 스털링의 데뷔골을 포함한 멀티골이 오늘도 어려웠던 팀을 구해냈다. 오늘은 퇴장 변수가 크긴 했지만 개막 후 4경기 동안 첼시팬들이 만족할 수 있을 만한 경기가 아직 단 하나도 없다.

22/8/27
안필드, 리버풀
22/23 프리미어리그 4R
리버풀 9-0 본머스

2라운드까지 전세계 조롱의 타겟이었던 맨유에게 3라운드에서 지면서 자신들에게 넘어오게 만들었던 리버풀은 분노의 선 넘은 골폭풍을 휘몰아치면서 올 시즌 자신 들의 첫 승이자 프리미어리그 역사의 한 페이지에 들어갈 경기를 양산했다. EPL 출범 이후 4번째 9-0 경기인데 이 와중에 보이는 중복된 두 팀... 마침 오늘 이른 시간에 맞대결을 치른 사우스햄튼과 맨유다. 이 9-0 기록이 소환됨으로써 전자는 1패 추가, 후자는 1승 추가.

22/8/27
에티하드 스타디움, 맨체스터
22/23 프리미어리그 4R
맨시티 4-2 크리스탈 팰리스

동시간대 타구장에서는 리버풀이 폭발하더니 이쪽은 홀란드가 폭발했다. 맨시티는 전반부터 0-2로 끌려감으로써 또 다시 팰리스의 악몽이 재현되나 싶었는데 후반에 각성한 맨시티와 홀란드는 역시 무서웠다. 애초 영입될때부터 의심의 여지조차 없던 그는 EPL 데뷔전부터 멀티골을 뽑아냄을 시작으로 단 4경기만에 해트트릭을 달성했다.

22/8/27
에미레이츠 스타디움, 런던
22/23 프리미어리그 4R
아스날 2-1 풀럼

거의 자책골이나 다름없는 실책으로 선제골을 헌납하며 지옥으로 떨어졌던 가브리엘 마갈량이스가 결국에는 직접 역전골을 넣으며 천국행. 4스날의 개막 후 4연승을 이끌었고 리버풀의 1경기 9골 폭발, 맨시티 홀란드의 해트트릭 폭발 등 여기저기서 폭발해봤자 1위는 꾸역꾸역 이겨나가고 있는 거너스.

22/8/27
알리안츠 스타디움, 투린
22/23 세리에A 3R
유벤투스 1-1 로마

3라운드는 이미 금요일 밤에 라치오-인테르 빅매치로 포문을 열었었는데 토요일에는 또 다른 이 빅매치가 있었다. 디발라가 로마의 유니폼을 입고 알리안츠 스타디움을 방문했는데 타미의 동점골을 아주 스펙타클한 자세로 어시스트하며 이것도 비수를 꽂았다면 꽂았다고 할 수 있겠다.

22/8/27
산 시로, 밀라노
22/23 세리에A 3R
밀란 2-0 볼로냐

앞서 라치오-인테르, 유벤투스-로마가 혈투를 벌였고 밀란은 편안했다. 팀의 주포들 이라고 할 수 있는 레앙과 지루가 나란히 득점을 뽑아냈고 아스날 시절 푸스카스 상 경력이 있는 지루는 자신의 전매특허인 스콜피온 킥 골을 선보였다. 근데 처음 선 보인 밀란의 저 국방색 써드 킷은 15/16 시즌 때와 비슷한데 현지 팬들은 모르겠고 국내팬 반응은 썩 나쁘지 않은 듯.

22/8/28
시티 그라운드, 노팅엄
22/23 프리미어리그 4R
노팅엄 포레스트 0-2 토트넘

"한 개 클럽에서만 넣는게 대단하냐, 여러 개 클럽에서 나눠넣는게 대단하냐" 이 날 PK 하나를 놓치고도 멀티골을 넣은 케인은 프리미어리그 통산 187골로 앤디 콜과 동률을 이루었다. 케인은 오직 토트넘에서만, 앤디 콜은 맨유를 포함한 7개의 구단에서 넣은 기록이다. 첫 줄의 질문에 대한 답은 나는 "다른 의미에서 둘 다" 라고 대답하고 싶다. 하지만 팀 트로피 수는 %^&*&%

22/8/28
아르테미오 프란키, 피렌체
22/23 세리에A 3R
피오렌티나 0-0 나폴리

지난 두 경기에서 화력쇼를 펼쳤던 나폴리는 이번에는 1득점조차 뽑아내지 못하며 개막 후 3연승에 실패했다. 이로써 올시즌 EPL과는 달리 세리에 A는 단 3라운드만에 전승 팀이 아무도 없는 걸로 나타났다.

22/8/30
마페이 스타디움
22/23 세리에A 4R
사수올로 0-0 밀란

사수올로의 살아있는 레전드이자 주장인 베라르디 PK 놓치고 부상으로 교체 아웃, 그리고 밀란은 두번째 원정경기도 무재배를 캐며 또 다시 승점 드랍. 서로 LOSE-LOSE 게임.

22/8/30
세인트 메리 스타디움, 사우스햄튼
22/23 프리미어리그 5R
사우스햄튼 2-1 첼시

개막 후 4경기 중 2승이 있었어도
팬들 입장에서 마음에 드는 경기는
단 하나도 없었던 첼시인데 오늘은
결과마저도 잃어 버리니 답답할 노
릇.

22/8/30
쥐세페 메아짜, 밀라노
22/23 세리에A 4R
인테르 3-1 크레모네세

라치오한테 참교육당하고 홈에 와서
승격팀 상대로 무난한 승리. 인테르
는 루카쿠 없는 9월이 걱정이다.

22/8/30
스타디오 올림피코, 로마
22/23 세리에A 4R
로마 3-0 몬차

세리에A 통산 98골 기록중이던 디발라 멀티골로 100골 달성! 그리고 9년전 팔레르모 동료인 벨로티와 서로 다른 토리노 팀을 거쳐서 재결합.

22/8/31
루이지 페라리스, 제노바
22/23 세리에A 4R
삼프도리아 1-1 라치오

라치오는 지난 라운드에서 인테르를 참교육시킨 분위기를 이어가지고 못하고 가비아디니에게 버저비터 동점골을 얻어 맞으며 무승부. 어쨌든 개막후 무패 지속.

22/8/31
안필드, 리버풀
22/23 프리미어리그 5R
리버풀 2-1 뉴캐슬

버저비터 전문가 오리기를 여름 이적 시장이 끝나기 전에 밀란으로 보낸 리버풀이지만 당장은 문제 없다. 98분에 터진 역전골로 지난 본머스전 9-0 기록적인 대승에 이어 안필드에서 분위기를 끌어올릴 수 있게 되었고 올 시즌 기대의 팀 뉴캐슬로써는 매우 뼈저린 패배.

22/8/31
에티하드 스타디움, 맨체스터
22/23 프리미어리그 5R
맨시티 6-0 노팅엄 포레스트

전반 38분만에 홀란드 해트트릭? 두 경기 연속 해트트릭?! 주중 경기인 만큼 체력 안배도 필요했던 라운드라 펩 감독은 68분 경 쿨하게 교체아웃 시키며 쉬게 했다. 선수 개인으로써의 쇼만 해도 이미 어마무시했는데 팀으로써의 쇼는 거기서 끝이 아니었다. 홀란드에 묻힌 올시즌 또 다른 신입 공격수 훌리안 알바레즈도 멀티골을 넣으 면서 홀란드 뿐 아니라 자신도 있음을 알렸다.

22/8/31
에미레이츠 스타디움, 런던
22/23 프리미어리그 5R
아스날 2-1 아스톤 빌라

개막 후 4전 전승으로 8월 이달의 감독 상을 받은 아르테타 감독은 엄연히 아직 8월의 마지막 날까지 승리로 장식했다. 오늘도 어김없이 아스날의 수호신은 가브리엘이었다. 저번에는 마갈량이스, 오늘은 제수스와 마르티넬리가 득점을 해주면서 제라드 감독을 GG치게 만들었다.

22/8/31
올림픽 스타디움, 런던
22/23 프리미어리그 5R
웨스트햄 1-1 토트넘

나름 런던 더비였는데 득점 자체도 상대 자책골이었으며 지지부진한 경기 속에 승점 1점으로 만족해야 했다. 토트넘도 개막 후 5경기 무패이긴 하나 손흥민은 아직 득점을 신고하지 못하면서 오늘 경기는 팀내 최저 평점을 받으며 아직 올 시즌 이 카툰에 등장하지 못하고 있다.

22/8/31
알리안츠 스타디움, 토리노
22/23 세리에A 4R
유벤투스 2-0 스페치아

블라호비치 두 경기 연속골, 그리고 팬들이 그다지 기대하지도 않고 딱히 반기지도 않는 신입생 밀리크 경기 막판 데뷔골.

22/8/31
스타디오 디에고 아르만도 마라도나, 나폴리
22/23 세리에A 4R
나폴리 1-1 레체

나폴리는 첫 두 경기에서 9골 폭발하며 시작하더니 최근 두 경기는 1골에 그치고 있다. 지난 경기는 피오렌티나가 수비를 잘했다쳐도 오늘 경기는 로테이션 돌렸다가 아쉬움을 삼켰다.

22/9/1
킹 파워 스타디움, 레스터
22/23 프리미어리그 5R
레스터 0-1 맨유

맨유는 2패로 시작하더니 어느덧 3승을 올리며 그래도 비교적 빠르게 승패 균형에서 밸런스가 승으로 기울어지도록 만회를 했다. 이제 텐 하흐 아웃보다는 로저스 아웃으로 넘어간 듯... 그의 레스터는 첫 경기 무승부 이후 4연패를 당하고 있다.

22/9/3
구디슨 파크, 머지사이드
22/23 프리미어리그 6R
에버튼 0-0 리버풀

시즌 초반에 맞이한 머지사이드 더비. 개막 후 5연속 무승의 램파드 호 에버튼이었는데 오늘도 승리에 실패했다. 리버풀도 마찬가지였고 개막 후 3연속 원정 무승을 이어갔는데 암울하게도 다음 상대는 챔피언스리그 나폴리 원정이다.

22/9/3
아르테미오 프란키, 피렌체
22/23 세리에A 5R
피오렌티나 1-1 유벤투스

경기 후 알레그리 감독은 후반에 왜 그리 수비적으로 했냐는 질문에 "피오렌티나가 강하게 밀어붙였고 우리가 빌드업 과정에서 몇몇 상황을 놓쳤다. 우리가 좋은 수비 연습 했다고 하자" 라고 답했다. 피렌체보다 훨씬 강한 PSG전을 앞두고 대단한 긍정 마인드. 이기지 못해서 아쉬운 쪽은 피오렌티나 쪽이 더 클 듯하다.

22/9/3
스탬포드 브릿지, 런던
22/23 프리미어리그 6R
첼시 2-1 웨스트햄

이기긴 했는데 오늘도 참 힘들었다. 6경기 중 3승을 따낸 첼시인데 역시 내용적으로 팬들 입장에서 마음에 드는 편안한 경기는 하나도 없다.

22/9/3
토트넘 핫스퍼 스타디움, 런던
22/23 프리미어리그 6R
토트넘 2-1 풀럼

오늘도 결승골로 팀의 승리를 이끌어낸 케인은 PL 통산 188호골로 앤디 콜을 넘어서게 되었다. 이제는 20골 앞서 있는 루니가 있는데 따라잡고 넘는건 시간 문제로 보인다 단순 득점기록만 보면...

22/9/3
빌라 파크, 버밍엄
22/23 프리미어리그 6R
아스톤 빌라 1-1 맨시티

"내가 결과 만들어줬는데 니들은 뭐했니 콥들?" 맨시티를 상대로 준비를 잘해온 제라드의 빌라였는데 결국 값진 승점 1점을 따냈다. 그럼 뭐하나 정작 경쟁 상대인 리버풀은 머지 사이드에서 똑같이 승점 1점 따냈는데...?

22/9/3
산시로, 밀라노
22/23 세리에A 5R
밀란 3-2 인테르

시즌 초반 챔피언스리그 첫 경기를 앞두고 찾아온 밀라노 더비. 선제골은 인테르 몫이 었지만 뭐같은 수비력을 뽐내며 거의 레앙에게 농락 당하다시피 하면서 3실점을 당했다. 제코가 한 골 만회해서 끝까지 어찌 될진 몰랐으나 라치오전 만큼 참담했다. 데르비에서 혼자 2골 1도움을 기록한 레앙은 2001년 5월 11일 셰브첸코(6-0 승리) 이후 21년만에 나온 첫 밀란 선수.

22/9/3
스타디오 올림피코, 로마
22/23 세리에A 5R
라치오 1-2 나폴리

이번 라운드 밀라노 데르비에 이은 또 다른 빅매치. 김민재는 수비수이기 때문에 언제 데뷔골이 터질까라고 초점을 맞춘 적이 없었으나 5라운드만에 두번째 골을 터뜨렸다. 골라인 판독기가 살린 그의 뚝배기 득점. 그리고 벌써부터 '크바라도나' 라고 불리고 있는 조지아의 보물 크바라츠켈리아의 역전골까지 터지며 한국과 조지아에서 국내팬들을 사로잡고 있는 나 폴리.

22/9/4
올드 트래포드, 맨체스터
22/23 프리미어리그 6R
맨유 3-1 아스날

텐하흐 슬슬 자리잡나...? 개막후 5전 전승을 달리며 8월 이 달의 감독을 수상한 아르테타의 아스날에게 곧바로 첫 패를 안겨준 팀이 됐다. 텐 하흐의 아약스 시절 제자였던 신입생 안토니의 데뷔골과 래쉬포드의 멀티골로 맨유는 엄청 잘 나간다 싶던 아스날과 현재 고작 1승(3점) 차이.

22/9/4
다치아 스타디움, 우디네
22/23 세리에A 5R
우디네세 4-0 로마

잉글랜드에서 8월 이달의 감독상을 아르테타가 받았다면 이쪽 동네는 로마의 무리뉴가 받았다. 그쪽에서는 바로 맨유한테 졌는데, 이쪽은 유벤... 아니 우디네세에게 그것도 대패를 당했다. 리그별로 빅클럽들의 경기만을 따라 그리고 있는데 여기서는 까고 보니 우디네세가 빅팀이었다.

22/9/6
스타디온 막시미르, 자그레브
22/23 UCL 조별리그 1차전 E조
디나모 자그레브 1-0 첼시

투헬 감독 따라 여름 이적 시장 막판에 첼시로 합류한 오바메양 그리고 오늘 데뷔전을 치뤘지만 슈팅 한 번 때리지 못하며 팀의 패배를 막지 못했고, 애석하게도 이 경기 이후 투헬은 경질되었다.

22/9/6
레드불 아레나, 잘츠부르크
22/23 UCL 조별리그 1차전 E조
잘츠부르크 1-1 밀란

지난 시즌 아주 오랜만에 챔피언스리그에 모습을 드러냈던 7회 우승에 빛나는 밀란이지만 조 꼴찌로 체면을 구겼다. 올 시즌은 저번 (리버풀, 아틀레티코, 포르투) 보단 조편성이 나쁘지 않고 16강에 도전하는데 일단 첫 판은 살레마커스의 동점골로 승점 1점에 만족해야 했다.

22/9/6

셀틱 파크, 글래스고

22/23 UCL 조별리그 1차전 F조

셀틱 0-3 레알 마드리드

"신사 숙녀 여러분 아자르가 필드골을 넣었습니다!" 디펜딩 챔피언이자 압도적 최다 빅이어에 빛나는 레알의 출발 은 무난상큼했다.

22/9/6

라몬 산체스 피츠후안, 세비야

22/23 UCL 조별리그 1차전 G조

세비야 0-4 맨시티

홀란드에게 적응 따윈 필요 없다. 맨시티 유니폼을 입고 치르는 첫 챔스 경기에서 데뷔골을 포함하여 멀티골을 넣으며 팀의 대승을 이끌어 냈다.

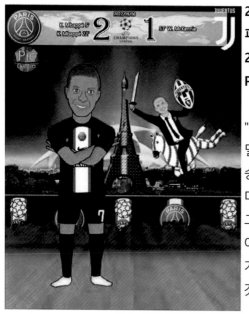

22/9/6
파르크 데 프랭스, 파리
22/23 UCL 조별리그 1차전 H조
PSG 2-1 유벤투스

"홀란드가 하니까 나도 한다" 이른 시간에 멀티골을 뽑아낸 음바페인데 그 이후로 다 승으로 갈 수 있었던 PSG의 흐름을 생각한 다면 유베는 후반에 한 골 만회하고 경기를 그대로 끝낸 것 만해도 잘 한게 아닌가 싶 아 이럴려고 지난 피오렌티나와의 리그 경 기에서 수비 연습했다고 하셨구나 알레그 갓동님께서.

22/9/7
스타디오 디에고 아르만도 마라도나, 나폴리
22/23 UCL 조별리그 1차전 A조
나폴리 4-1 리버풀

시즌 초반 나폴리의 축구가 우물 안 개구리 가 아님을 제대로 증명했다. 여름 이적 시장 막판에 나폴리에 합 류한 지오반니 시메오네는 전반 막판 데뷔골을 터뜨리자 감격하는 모습을 보였다. 반면 리그에서도 썩 좋지 못 한 초반을 보내고 있는 리버풀은 이 번 시즌 뭔가 순탄치 못할 것임을 보 여주는 듯 하다.

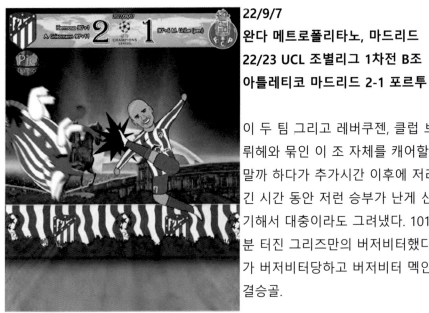

22/9/7

완다 메트로폴리타노, 마드리드

22/23 UCL 조별리그 1차전 B조

아틀레티코 마드리드 2-1 포르투

이 두 팀 그리고 레버쿠젠, 클럽 브뤼헤와 묶인 이 조 자체를 캐어할까 말까 하다가 추가시간 이후에 저리 긴 시간 동안 저런 승부가 난게 신기해서 대충이라도 그려냈다. 101분 터진 그리즈만의 버저비터했다가 버저비터당하고 버저비터 멕인 결승골.

22/9/7

캄프 누, 바르셀로나

22/23 UEFA 챔피언스리그

조별리그 1차전 C조

바르셀로나 5-1 플젠

이번에 바르샤는 레반도프스키 뿐 아니라 영입생이 굉장히 많은데 케시에의 선제골을 시작으로 레비의 해트트릭 쇼가 있었다. 레비라서 썩 놀랍지는 않다 조 1위로 순조롭게 출발.

22/9/7
쥐세페 메아짜, 밀라노
22/23 UCL 조별리그 1차전 C조
인테르 0-2 바이에른 뮌헨

기록상으로 한 골은 주장 완장을 달고 출전한 담브로시오의 자책골이긴 하나 사실상 르로이 사네의 멀티골. 주말 리그 경기에서 밀란과의 데르비도 졌던 인테르는 이 경기도 매우 실망스럽게 지면서 힘든 9월의 시작을 보내고 있다.

22/9/7
토트넘 핫스퍼 스타디움, 런던
22/23 UEFA 챔피언스리그
조별리그 1차전 D조
토트넘 2-0 마르세유

+스포르팅, 프랑크푸르트와 한 조에 들어가며 대진운이 좋다고 평가 받는 토트넘이었는데 개인적으로 그 점은 동의하기가 어렵다. 토트넘이 저 팀들을 압도할 거라고 생각하질 않아서... 어쨌든 올 시즌 신입생인 히샤를리송의 데 뷔골이자 멀티골이 터지면서 첫 단추는 잘 꿴다.

22/9/10
**스타디오 디에고 아르만도 마라도나,
나폴리**
22/23 세리에A 6R
나폴리 1-0 스페치아

'Salutate la capolista: 의역 - 우리가 1등이다' 주중에 리버풀을 제대로 후들겨 팬 나폴리는 그 여파로 로테이션좀 돌렸는데 하마터면 또 레체전처럼 될 뻔 했다. 하지만 이번엔 또 다른 영입생이자 아주리의 미래이기도 한 라스파도리가 살려주었다. 그러면서 여전히 리그 1위 유지.

22/9/10
쥐세페 메아짜, 밀라노
22/23 세리에A 6R
인테르 1-0 토리노

주중 챔스 여파일까 앞서 나폴리도 밀란도 그랬듯이 인테르도 겨우겨우 힘겹게 승리했다. 주인공은 브로조비치. 그래도 이기는게 어디...?!

22/9/10
루이지 페라리스, 제노바
22/23 세리에A 6R
삼프도리아 1-2 밀란

레앙의 퇴장으로 수적 열세를 겪은 밀란이지만 그래도 어렵사리 승리를 따냈다. 로쏘네리는 3년전 팀을 거의 나락으로 빠뜨리다시피 하면서 지금 삼돌이로 컴백해있는 마르코 잠파올로 감독에게 절대 질 수 없었을 것이다. 밀란에게 있어서 잠파올로 감독은 인테르의 가스페리니, 맨유의 모예스 급이라 보면 될 듯?

22/9/11
스타디오 올림피코, 로마
22/23 세리에A 6R
라치오 2-0 베로나

라치오는 올시즌 챔스는 아니고 유로파 출전하는데 유로파리그는 한 인간으로써의 한계가 올 것 같아서 32강 토너먼트부터 남는 EPL/세리에A 빅클럽 포함한 메이저 클럽 위주로 그려나가기로 하였다. 그때 쯤이면 챔스도 16강에 접어들어 하루에 치뤄지는 경기 수가 조별리그인 지금보단 줄어들테니. 주중 페예노르트를 완파한 라치오는 주말 와서도 호조를 이어갔다.

22/9/11
알리안츠 스타디움, 토리노
22/23 세리에A 6R
유벤투스 2-2 살레르니타나

"투명인간 칸드레바, 1분 4퇴장 등 주말예능 EPL이 없다면 우리가 대신 하겠다" 이번 주말 영국에서는 엘리자베스 여왕 서거로 인하여 프리미어 리그 7라운드 전체가 연기되는 변수가 생겼다. 그래서 이쪽에만 집중할 수 밖에 없었는데 세리에A에서 막상 앞 선 경기들은 그다지 예능감은 없었는데 여기서 한꺼번에 터져 나왔다. 그리고 마지막에는 오프사이드 관련해서 큰 논란을 낳으며 끝났다.

22/9/12
카를로 카스텔라니, 엠폴리
22/23 세리에A 6R
엠폴리 1-2 로마

지난 시즌 유로파 컨퍼런스 리그 초대 우승 타이틀을 차지한 로마는 올 시즌 유로파 리그에 자동 진출해서 일정을 시작한 상태다. 그런데 주중 불가리아 루도고레츠 원정에서 일격을 당하고 온 쟐로로씨는 일단 디발라와 타미의 득점으로 리그 승리를 따냈는데 저 둘이 앞으로 로마의 주 득점원 콤비가 될 듯하다.

22/9/13
두산 아레나, 플젠
22/23 UCL 조별리그 2차전 C조
플젠 0-2 인테르

+바이언, 바르셀로나와 함께 묶이며
이게 꿈일까 싶었던 플젠은 홈에서
혹시나 복병의 경기를 보여주지 않
을까 싶었는데 그런건 전혀 없었고
인테르는 제코와 둠프리스의 득점으
로 무난히 승리했다. 1차전 홈에서
바이언에게 졌던걸 그나마 만회.

22/9/13
에스타디우 조세 알바라데, 리스본
22/23 UCL 조별리그 2차전 D조
스포르팅 2-0 토트넘

이제 시작이다 콘테의 고질병이 드
러나는 유럽대항전 x꼬 쇼는.

46

22/9/13
안필드, 리버풀
22/23 UCL 조별리그 2차전 A조
리버풀 2-1 아약스

1차전 나폴리 원정 가서 후들겨 맞고 온 리버풀은 그래도 홈에서 또한 만만찮은 상대인 아약스를 상대로 마팁의 늦은 결승골로 어렵사리 승리를 따냈다.

22/9/13
알리안츠 아레나, 뮌헨
22/23 UCL 조별리그 2차전 C조
바이에른 뮌헨 2-0 바르셀로나

"레비가 뮌헨 빨이었나, 뮌헨이 레비 빨이었나" 오늘의 최고 빅매치로 꼽히는 이 FCB 대전은 사실 최근 두 팀이 맞붙었을때 거의 일방적으로 뮌헨이 마치 약팀을 상대하듯 두들겨 팼기 때문에 애초 바이언의 승리가 많이 점쳐졌다. 하지만 처음으로 레반도프스키가 반대편에서 치르는 경기라 혹시나 했으나 오늘도 다른 결과가 나오진 않았다. 레비가 없어도, 상대팀에서 뛰고 있어도 이 팀은 찐이었다.

22/9/14
산 시로, 밀라노
22/23 UCL 조별리그 2차전 E조
밀란 3-1 디나모 자그레브

밀란의 오늘 승리는 2013년 9월 셀틱전 2-0 이후 챔피언스리그 홈경기에서 거둔 9년만의 뜻깊은 승리였다. 지난 시즌에 챔스로 오랜만에 다시 복귀한 로쏘네리가 1승을 거두긴 했지만 원정(아틀레티코)경기였다.

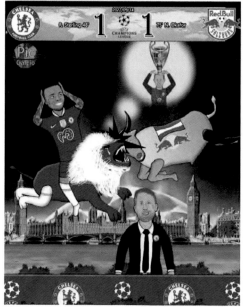

22/9/14
스탬포드 브릿지, 런던
22/23 UCL 조별리그 2차전 E조
첼시 1-1 잘츠부르크

지난 주 1차전 자그레브에게 충격적인 패배를 끝으로 투헬 감독이 경질되고 브라이튼으로부터 선임된 포터 감독의 첼시 데뷔전이었다. 원래 일정대로라면 주말에 리그 경기로 데뷔전을 치루는게 맞는데 엘리자베스 여왕 서거로 인하여 연기돼서 오늘이 첫 경기가 됐다. 근데 홈에서 전력 열세 팀 상대로 무승부.

22/9/14

이브록스 스타디움, 글래스고

22/23 UCL 조별리그 2차전 A조

레인저스 0-3 나폴리

"Salutate la capolista anche qui : 응 여기서도 1등" 스코틀랜드 쪽도 마찬가지로 영국 엘리자베스 여왕 서거 관련 이슈로 이 경기는 예정보다 하루 늦게 치뤄졌다. 엘리자베스 여왕을 기리는 레인저스 홈팬들의 멋진 카드섹션이 펼쳐지는 가운데서 경기는 원정팀에게만 멋졌다. 지엘린스키가 PK를 연달아 두 번 실축하는 진풍경을 연출하고도 어차피 나폴리 완승.

22/9/14

산티아고 베르나베우, 마드리드

22/23 UCL 조별리그 2차전 F조

레알 마드리드 2-0 라이프치히

1차전 셀틱 원정에서 따낸 완승에 이어 2차전이자 첫 홈경기는 은근히 고전했지만 '어레이'... 어차피 레알이 이긴다. 디펜딩 챔피언의 무난한 출발.

22/9/14
에티하드 스타디움, 맨체스터
22/23 UCL 2차전 G조
맨시티 2-1 도르트문트

어제 레반도프스키 더비에서 그가 주인공이 되지 못했는데 오늘 홀란드 더비에서는 그가 주인공이 되었다. 역전골을 터뜨렸는데 다행히(?) 세레머니는 하지 않았다.

22/9/14
알리안츠 스타디움, 토리노
22/23 UCL 조별리그 2차전 H조
유벤투스 1-2 벤피카

두번째 경기동안 승점이 아예 0점으로 16강에 갈까 못 갈까 위기를 맞이한 유벤투스. PK 키커로 나서 동점골을 성공시킨 전 인테리스타 주앙 마리우는 유베 홈팬들이 있는 앞에서 대놓고 광역도발하는 수준의 세레머니를 펼쳤다.

22/9/14
사미 오페르 스타디움, 하이파
22/23 UCL 조별리그 2차전 H조
마카비 하이파 1-3 PSG

슈퍼스타 주포 3인방 MNM의 득점이 모두 사이좋게 한 번씩 터지며 역전승을 거둔 PSG는 벤피카와 함께 2승으로 공동 선두를 달린다.

22/9/17
몰리뉴 스타디움, 울버햄튼
22/23 프리미어리그 8R
울버햄튼 0-3 맨시티

"하늘은 파랗고 홀란드는 골을 넣었다" 지난 주 엘리자베스 여왕 서거로 인하여 연기되어 한 라운드 거르고 돌아온 프리미어리그 하지만 경기를 언제 하던 상관없이 홀란드는 챔스에서도 그렇고 너무나 당연하다는 듯이 득점을 한다. 울브스쪽 전반전 퇴장으로 인하여 무난하게 승리를 챙겨갔다.

22/9/17
토트넘 핫스퍼 스타디움, 런던
22/23 프리미어리그 8R
토트넘 6-2 레스터

심지어 선발도 아닌 교체로 들어와서 여러가지를 한꺼번에 보여준 손흥민. 첫 번째 득점 후 세레머니에서 그가 그간 얼마나 마음 고생이 있었는지 볼 수 있었다. 월드컵이 두 달 남은 시점에서 그의 시즌은 이제부터가 시작이다 아직 전혀 늦지 않았다...! 반면 후들겨 맞은 로저스의 레스터 시티는 개막 후 6연속 무승+5연패의 수렁에 빠졌다.

22/9/18
다치아 아레나, 우디네
22/23 세리에A 7R
우디네세 3-1 인테르

"말해주세요 누가 진짜 비안코네리인지" 유벤투스랑 붙는것도 아닌데 경기내용에서 탈탈 털린 인테르는 지금 시즌 시작한지 얼마나 됐다고 벌써 챔스까지 통틀어 4패째 적립. '작은 얼룩말들' 이라고 불리기도 하는 우디네세는 지금 기세는 로마도 4-0으로 대파하는등 5연승으로 결코 작지 않다.

22/9/14
사미 오페르 스타디움, 하이파
22/23 UCL 조별리그 2차전 H조
마카비 하이파 1-3 PSG

슈퍼스타 주포 3인방 MNM의 득점이 모두 사이좋게 한 번씩 터지며 역전승을 거둔 PSG는 벤피카와 함께 2승으로 공동 선두를 달린다.

22/9/17
몰리뉴 스타디움, 울버햄튼
22/23 프리미어리그 8R
울버햄튼 0-3 맨시티

"하늘은 파랗고 홀란드는 골을 넣었다" 지난 주 엘리자베스 여왕 서거로 인하여 연기되어 한 라운드 거르고 돌아온 프리미어리그 하지만 경기를 언제 하던 상관없이 홀란드는 챔스에서도 그렇고 너무나 당연하다는 듯이 득점을 한다. 울브스쪽 전반전 퇴장으로 인하여 무난하게 승리를 챙겨갔다.

22/9/18
스타디오 코무날레 브리안테오, 몬차
22/23 세리에A 7R
몬차 1-0 유벤투스

챔스 두경기에서 0점을 달성하고 있
는 알레그리 갓동님은 리그에 와서
승격팀 몬차와 전 유벤투스 선수로
뛰었던 라파엘레 팔라디노 감독에게
역사적인 세리에 A 첫 승을 선사해
주었다. 물론 전반전에 아예 다이렉
트 퇴장을 당한 데빌 디 마리아의 몫
도 컸다.

22/9/18
스타디오 올림피코, 로마
22/23 세리에A 7R
로마 0-1 아탈란타

"말해주세요 누가 진짜 네라쭈리인
지" 쇠창살을 연상시키는 듯한 어웨
이 킷을 입고 나온 아탈란타는 무버
지의 로마를 꼼짝 못하게 하며 승리
를 따냈다. 찐 네라쭈리 아탈란타와
찐 비안코네리 우디네세의 초반 기
세가 아주 좋다.

22/9/18
산 시로, 밀라노
22/23 세리에A 7R
밀란 1-2 나폴리

"아빠 미안 지금 나는 너무 기뻐"
비슷한 시간대에 이베리아 반도에서
마드리드 더비가 펼쳐졌는데 아빠
디에고 시메오네의 팀이 졌다. 하지
만 아들 지오반니는 선두 경쟁이 걸
린 중요한 빅매치 경기에서 멋진 결
승골을 터뜨리며 밀란과의 격차를
더 벌렸다. 그리고 마지막 순간 김민
재의 호수비 후 짐승같은 포효는 큰
인상을 남겼다.

22/9/22
22/23 네이션스리그 A-1조 5차전
크로아티아 2-1 덴마크
프랑스 2-0 오스트리아

선두를 달리는 크로아티아 그리고
5차전 되어서야 드디어 1승을 올린
프랑스.

22/9/22
22/23 네이션스리그 A-4조 5차전
벨기에 2-1 웨일즈
폴란드 0-2 네덜란드

웨일즈가 지난 6월 우크라이나와의 플레이오프에서 승리하면서 이 조는 유일하게 모두 이번 월드컵에 출전하는 그룹이 되었다. 그래서 그들에겐 네이션스 리그에서 결과가 어찌 나온다한들...? 레반도프스키는 반 할의 네덜란드에게 꽁꽁 묶였다.

22/9/23
22/23 네이션스리그 A-3조 5차전
독일 0-1 헝가리
이탈리아 1-0 잉글랜드

"Mai Stati in B: 의역: 우리는 결코 강등된적이 없다 (인테르의 슬로건 중 하나)" 밀라노 산 시로에서 열린 유로 결승 리턴 매치에서 라스파도리의 뒤늦은 결승골로 잉글랜드는 그룹 B로 강등이 확정 되며 아무리 네이션스리그지만 망신살... 한 편 마자르족은 게르만족을 원정에서까지 때려잡으며 놀라운 퍼포먼스를 계속 이어갔다.

22/9/24

22/23 네이션스리그 A-2조 5차전

스페인 1-2 스위스

체코 0-4 포르투갈

저조한 성적의 스위스가 조 선두였던 스페인을 원정에서 발목잡으며 선두 자리에서 내려오게 했고 포르투갈이 체코를 대파하며 그 자리를 빼앗았다. 칸셀루가 없는 사이 달롯이 멀티골을 넣으며 활약했지만 그래도 월드컵 주전은 아마도 칸셀루?

22/9/25

22/23 네이션스리그 A-1조 6차전

오스트리아 1-3 크로아티아

덴마크 2-0 프랑스

크로아티아는 오스트리아 원정에서 승리하며 파이널4 진출에 성공했다. 한편 덴마크와의 리턴매치에서 또 패배를 당한 프랑스는 크로아티아 덕분에 강등을 면하게 되었다. 당장의 위기는 피했으나 당장 월드컵에서 덴마크와 같은 조에 편성되어 있는데 이대로 가다간 월드컵 디펜딩 챔피언의 저주의 희생양을 피해갈수 없을까 우려.

22/9/25
22/23 네이션스리그 A-4조 6차전
네덜란드 1-0 벨기에
웨일즈 0-1 폴란드

네덜란드는 5승 1무로 초강세를 보이며 당당하게 이 조의 파이널4 티켓 주인공이 되며 월드컵을 기대케 했고 벨기에는 글쎄...? 관심 밖 경기가 된 타구장 경기에서는 웨일즈가 폴란드한테도 먹히며 강등됐지만 64년만에 월드컵 나갈건데 뭐 어때...?

22/9/26
푸스카스 아레나, 부다페스트
22/23 네이션스리그 A-3조 6차전
헝가리 0-2 이탈리아

이 조의 진정한 빅매치가 됐으므로 단독 경기로 뺐다. 조 1위였던 헝가리는 무승부만 거둬도 파이널4에 진출하는 꿈을 실현시킬 수 있었지만 똑같이 월드컵 못 나가는 국가에게 패하며 굴욕(???). 이런 조에서 승점 자판기가 될거란 보편적인 예상과는 달리 파이널 4에 진출 하기에 유리한 고지까지 잡았던 그들에게 박수를 보내고 싶다.

22/9/26
웸블리 스타디움, 런던
22/23 네이션스리그 A-3조 6차전
잉글랜드 3-3 독일

'빅 루저들의 게임' 이 조 루저들의
스몰매치인데 또 액면가로는 빅매치
라 사실 할까말까 고민했다... 양 팀
합쳐 총 5명 득점에 전원 PL 소속 그
리고 경기 장소는 웸블리라 마치 PL
보는듯한 착각이 들 정도. 그들만의
경기치고는 매우 흥미진진한 한 판.
잉글랜드는 다음 시즌부터 하위 디
비전인 그룹 B에서 놀게 되는데 그
걸 그려줘야 할지 말지 고민이다...

22/9/27
22/23 네이션스리그 A-2조 6차전
포르투갈 0-1 스페인
스위스 2-1 체코

스페인을 상대로 홈에서 무승부만
거둬도 파이널4에 진출할 수 있었던
포르투갈은 앞선 조의 헝가리처럼
똑같은 상황을 맞이하며 실패하고
말았다. 이 이베리아 더비에서는 CR
7보다 AM7이 더 빛났다. 강등이 걸
린 타구장에서는 스위스가 체코를
삼키며 그룹 B로 보냈다.

22/10/1
에미레이츠 스타디움, 런던
22/23 프리미어리그 9R
아스날 3-1 토트넘

"우승 경쟁 일에 끼지 마시죠"
북런던 라이벌 토트넘까지 잡아낸
아스날은 여전히 리그 선두 자리를
지키고 있다.

22/10/1
디에고 아르만도 마라도나, 나폴리
22/23 세리에A 8R
나폴리 3-1 토리노

"대단하다 우리 철기둥"
10월 할로윈의 달을 맞이해서 나폴
리가 박쥐를 가지고 스페셜 킷을 새
로 뽑았다. 그리고 놀랍게도 세리에
전체에서 9월의 이 달의 수비수 상
을 수상한 김민재는 상을 들고 홈팬
들 앞에서 축하 박수를 받았고 오늘
도 그에 걸맞는 좋은 활약을 펼쳤다.
팀은 잠보 앙귀싸의 멀티골에 힘입
어 완승을 거두었고 리그 선두를
이어 간다.

22/10/1
안필드, 리버풀
22/23 프리미어리그 9R
리버풀 3-3 브라이튼

리버풀은 이 결과에 대해 부끄러워 하지 않아도 된다 순위표 상 상위권 팀과 비긴거니깐. 그나저나 2009년 아스날과 4-4로 비길 당시 포트트릭을 꽂았던 아르샤빈 이후 안필드에서 13년만에 해트트릭을 기록한 원정팀 선수가 나왔다 벨기에 출신의 레안드로 트로사르. 올 시즌 눈 여겨 볼만한 빅클럽 이외의 선수 중 한 명.

22/10/1
셀허스트 파크, 런던
22/23 프리미어리그 9R
크리스탈 팰리스 1-2 첼시

어쩌다보니 리그 경기를 지난 9월 3일 이후 거의 한 달만에 치르는 첼시. 그래서 이번이 포터의 첼시 리그 데뷔전이 되었고 정말 힘겹게 첫 승을 따냈다. 투헬 따라 첼시로 왔던 오바메양은 오자마자 삐뚫어지는거 아닌가 우려됐었지만, 비교적 이른 것 같진 않은데 이르게 터진 그의 데뷔골 (입단한지 한 달이 조금 넘었으나 이제 고작 3번째 경기)이 큰 힘을 실어주었다.

61

22/10/1
쥐세페 메아짜, 밀라노
22/23 세리에A 8R
인테르 1-2 로마

'50점으로 낙제... #인자기아웃'
인테르가 반겨야 할 인물 무버지는
지난 경기 퇴장 징계로 오늘 벤치에
앉을 수 없었다. 인테르는 여름 이적
시장에 프리로 영입하는 줄 알았던
디발라에게 실점을 당한데다가 역전
패까지 당했으니 타격이 컸다. 8경기
4패로 반타작 성적을 내고 있는 심자
기의 인테르에게 다가오는 일정은 바
르샤 - 사수올로(천적) - 바르샤인데
이제 50점 밑으로 선 넘기 일보직전?

22/10/1
카를로 카스텔라니, 엠폴리
22/23 세리에A 8R
엠폴리 1-3 밀란

아틀레티코-포르투 만큼이나 추가
시간 이후 신기한 승부를 펼친 두 팀
이다. 지난 리그 홈경기에서 파죽지
세의 나폴리에게 깨지긴 했어도 전
체 분위기는 한 지붕 라이벌 인테르
와는 대조적이다.

22/10/2
에티하드 스타디움, 맨체스터
22/23 프리미어리그 9R
맨시티 6-3 맨유

'맨체스터 더비에서 홀란드 홈 3경기 연속 해트트릭... 인간 맞나?" 대체 어디까지 얼마나 더 놀라워 해야 할지 모르겠다. 직관 오신 알렉스 퍼거슨 경과 벤치에서 지켜보는 호날두 앞에서 홀란드의 해트트릭이라... 사실 홀란드의 이 미친 스토리가 계속 이어지고 있어서 그렇지 포든도 동반 해트트릭을 했다.

텐 하흐는 시즌 초반 자신의 과오를 잘 만회하고 있다가 또 한 번 대참사를 당했다. 그의 첫 노스웨스트 더비는 추억으로 남겠으나 첫 맨체스터 더비는 악몽.

22/10/2
스타디오 올림피코, 로마
22/23 세리에A 8R
라치오 4-0 스페치아

로마에서 AS로마 출신 로마뇰리의 라치오 데뷔골, 그리고 밀린코비치 사비치의 멀티골로 라치오는 두 경기 연속 4-0 승리라는 기록을 세웠다.

22/10/2
알리안츠 스타디움, 토리노
22/23 세리에A 8R
유벤투스 3-0 볼로냐

코스티치의 데뷔골을 포함하여 세르
비안 듀오가 나란히 득점했다. 그리
고 밀리크는 지난 홈경기였던 살레
르니타나전에서 정당한 판정으로 이
겼으면 억울하지도 않을 퇴장으로
인하여 결장으로 이어진 그 다음 몬
차전에서 팀이 패배하면서 마음이
찜찜했을 것이다. 오늘은 진짜 득점
을 하고 옷을 시원하게 탈의... 한 건
실제로는 아니지만 여기서라도 시원
하라고 벗겨놓았다(?).

22/10/4
알리안츠 아레나, 뮌헨
22/23 UCL 조별리그 3차전 C조
바이에른 뮌헨 5-0 플젠

오늘 멀티골을 포함하여 조별리그에
서 3경기 모두 득점에 성공하고 있는
사네를 필두로 마네, 그나브리 등 자
비없는 플레이를 펼친 뮌헨은 챔피
언스리그 조별리그 31경기 연속 무패
행진을 달리고 있다.

22/10/4
쥐세페 메아짜, 밀라노
22/23 UCL 조별리그 3차전 C조
인테르 1-0 바르셀로나

인테르 같은 스쿼드를 가지고 시즌 통합 10경기를 치르면서 5승 5패 반타작의 낙제점을 안고 있던 심자기 감독은 오늘부터 이어지는 일정이 암담 그 자체였는데 아니 이럴수가... ?! 전반 막판 찰하노글루의 한 방으로 스팔레티도 콘테도 못했던 바르샤 잡아내기를 해냈다.

22/10/4
안필드, 리버풀
22/23 UCL 조별리그 3차전 A조
리버풀 2-0 레인저스

알렉산더 아놀드와 살라의 득점으로 조 최약체 레인저스를 어렵지 않게 잡아냈다. 레인저스는 아직까지 득점조차 하지 못한 채 세 팀에게 승점 자판기 역할을 하고 있다.

22/10/4
요한 크루이프 아레나, 암스테르담
22/23 UCL 조별리그 3차전 A조
아약스 1-6 나폴리

나폴리는 여느때와는 달리 세리에팬들만 보기 아까운 자신들의 굉장한 퍼포먼스를 리그에서뿐만 아니라 밖에서도 전세계 팬들에게 마음껏 보여주고 있다. 쉽지 않을거라고 생각했던 아약스 원정이기 때문에 더더욱 놀라울 따름. 조별리그 3경기 13득 2실점.

22/10/4
도이쉐 뱅크 파크, 프랑크푸르트
22/23 UCL 조별리그 3차전 D조
프랑크푸르트 0-0 토트넘

둘다 날아오르지 못한 조류들이다. 굳이 따지자면 토트넘 전력 + 유럽 대항전에서의 콘테의 능력을 감안했을 때 지난 시즌 유로파리그 챔피언 프랑크푸르트 원정에서 지지 않은게 잘한건가 싶기도.

22/10/5
스탬포드 브릿지, 런던
22/23 UCL 조별리그 3차전 E조
첼시 3-0 밀란

오바메양은 밀란 출신이기도 하나 막상 밀란 유니폼을 입고 뛴 적은 없기 때문에 애매한 부분이 있어 비수를 꽂았다고 하긴 그렇지만, 지루는 친정팀 첼시에게 제대로 비수를 꽂했다.

22/10/5
산티아고 베르나베우, 마드리드
22/23 UCL 조별리그 3차전 F조
레알 마드리드 2-1 샤흐타르

20-21 시즌에도 한 조에 있던 샤흐타르에게 충격적인 더블을 당했던 레알은 설마 오늘도 당할까 싶었는데 승리를 하긴 했지만 결코 쉽지 않았다. 레알의 미래라고 할 수 있는 브라질리언 듀오 호드리구와 비니시우스.

22/10/5
에티하드 스타디움, 맨체스터
22/23 UCL 조별리그 3차전 G조
맨시티 5-0 코펜하겐

홀란드의 멀티골을 앞세워 마레즈, 알바레즈의 득점으로 조 최약체 코펜하겐을 무난히 후들겨팼다.

22/10/5
알리안츠 스타디움, 토리노
22/23 UCL 조별리그 3차전 H조
유벤투스 3-1 마카비 하이파

2경기 치르는동안 승점 0점이던 유벤투스는 동병상련 마카비 하이파와의 멸망 1차전에서 승리하며 일단 청신호가 켜졌다. 16강이 아니고 유로파 청신호... 16강에 진출하기 위해 넘어야 할 상대들인 PSG, 벤피카와 4점이나 차이가 나는데, 둘한테 모두 지고 3경기 남은 상태에서 4점 (1승 1무) 이라면 적지 않은 차이로 보인다.

22/10/5
에스타디우 다 루즈, 리스본
22/23 UCL 조별리그 3차전 H조
벤피카 1-1 PSG

메시에게 선제골을 허용했지만 본인들이 득점하지 않고도 무승부를 건진 벤피카다. 이로써 2승을 안은 상태에서 사이 좋게 비긴 두 팀이 16강 가나 싶은 분위기.

22/10/8
에티하드 스타디움, 맨체스터
22/23 프리미어리그 10R
맨시티 4-0 사우스햄튼

홈 4경기 연속 해트트릭을 노렸던 홀란드는 오늘 경기에서 90분 풀타임으로 뛰어놓고 고작 1골 넣는데 그치며 실패했다. 슬슬 거품끼 드러나나...?! 대신 그 한 골로 10경기 연속 득점과 시즌 20호골을 동시에 달성하였다.

22/10/8
스탬포드 브릿지, 런던
22/23 프리미어리그 10R
첼시 3-0 울버햄튼

간만에 스탬포드 브릿지에 방문하게
됨으로써 환대를 받은 디에고 코스
타였다. 경기는 첼시의 완승이었고
주중에 이곳에서 똑같은 스코어로
패한 밀란은 울브스와 동급설.

22/10/8
마페이 스타디움, 치타 델 트리콜로레
22/23 세리에A 9R
사수올로 1-2 인테르

제코가 오늘 멀티골로 본인의 세리
에A 통산 100호 골을 달성했으며 세
리에 역사상 세 번째로 많은 나이에
100골을 달성한 선수(36세 205일)가
되었다. 2등은 2016년 키에보의 레
전드 세르지오 펠리시에르(37세,243
일) 그리고 1위는 2021년 고란 판데
프(37세,268일) 전 인테르 트레블 멤
버.

22/10/8
산 시로, 밀라노
22/23 세리에A 9R
밀란 2-0 유벤투스

유벤투스가 리그 9연패하던 시기에
밀란과 붙으면 거의 일방적으로 승
리를 가져가던 추세에서 요즘은 흐
름이 많이 바뀌었다. 팀의 암흑기와
전성기가 맞물린 것이 맞대결에서도
그대로 반영되는 듯 하다.

22/10/8
아메리칸 익스프레스 커뮤니티 스타디움,
브라이튼
22/23 프리미어리그 10R
브라이튼 0-1 토트넘

드디어 나왔다 내한 투어 당시 입었
던 저게 실제 경기 유니폼이 맞나 싶
은 토트넘의 저 트레이닝복 같은 써
드킷... 이기기 쉽지 않을 경기라고
생각했는데 이겼다 손케 듀오의 합
작으로.

22/10/9
다치아 아레나, 우디네
22/23 세리에A 9R
우디네세 2-2 아탈란타

평소 같으면 엥? 할텐데 한국 시각으로 일요일 22시 부담없는 타임에 했던 이 경기는 세리에 팬들에게 올 시즌 진정한 이탈리안 데르비'였다. 각각 찐 비안코네리와 찐 네라쭈리 역할을 맡고 있다. 파죽의 7연승에 도전하던 우디네세는 그 도전에는 실패했지만 무패행진으로 이어가게 됐으며 찐 이탈리안 데르비라는 비공식적인 타이틀답게 경기는 아주 흥미로웠다.

22/10/9
스타디오 죠반니 지니, 크레모나
22/23 세리에A 9R
크레모네세 1-4 나폴리

주중 아약스에게 6골, 그리고 주말에는 4골... 나폴리의 고공행진은 그칠 줄을 모르고 있다.

22/10/9
에미레이츠 스타디움, 런던
22/23 프리미어리그 10R
아스날 3-2 리버풀

거너스는 홈에서 치뤄지는 강팀 2연
전에서 지난주 북런던 라이벌 토트
넘에 이어 리버풀까지 잡아냈다. 선
두 자리에서 내려오지 않으며 아주
훌륭한 시즌 초반을 보냈다. 반면 리
버풀은 리그 우승하거나 경쟁하던
포스를 잃어버린 듯 하며 계속 삐그
덕 거리고 있다.

22/10/9
구디슨 파크, 리버풀
22/23 프리미어리그 10R
에버튼 1-2 맨유

얼마만에 보는 팀의 승리를 이끄는
호날두인지 모르겠다. 오늘도 벤치
대기하다가 선발로 나섰던 마샬의
부상으로 급 교체투입되어 뛰게 됐
는데 이 한 골로 개인 통산 700호골
을 달성하였다. 이게 이제서야 터진
그의 올 시즌 리그 첫 골이었다.

22/10/9
스타디오 올림피코, 로마
22/23 세리에A 9R
로마 2-1 레체

인테르 원정에서 승리를 이끌었던
스코어러 듀오 디발라-스몰링이 연
달아서 오늘도 똑같이 재현하였다.

22/10/10
아르테미오 프란키, 피렌체
22/23 세리에A 9R
피오렌티나 0-4 라치오

리그에서 3연속 4-0 승리는 역사상
처음 있는 일이라고 하는데 사리볼
이 그걸 해냈다. 나폴리가 워낙 압도
적인 모습을 보여서 그렇지 이쪽도
만만치않다. 피오렌티나로써는 치욕
적인 경기.

22/10/11
파르켄, 코펜하겐
22/23 UCL 조별리그 4차전 G조
코펜하겐 0-0 맨시티

홈에서 5-0으로 대파했던 코펜하겐
이지만 아무리 맨시티여도 이 원정
은 쉽지 않았다. 홀란드에게 휴식을
부여했다는 부분도 크긴 했으나 맨
시티는 이 결과로 2경기 남겨놓고
가장 빠른 시간 안에 16강을 확정지
은 팀이 됐다면 나름대로의 수확.

22/10/11
산 시로, 밀라노
22/23 UCL 조별리그 4차전 E조
밀란 0-2 첼시

산 시로에서 직전의 완패에 대한 리
벤지를 노렸던 밀란이지만 18분만에
퇴장 + PK로 완전히 어그러지고 말
았다. 그것도 퇴장의 주인공이 첼시
출신의 토모리인데 레드카드까지 나
오는 것에 대해서는 논란이 꽤 있었
다. 그리고 상대 해외 클럽에서 뛰는
이탈리아 국가대표의 PK골, 한 때 품
고 있었던 가봉맨 오바메양의 추가골
까지 해서 밀란에게는 상처만 남은
경기가 되었다.

75

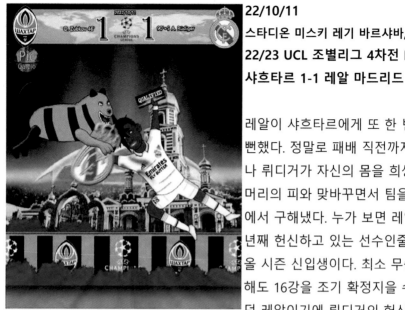

22/10/11
스타디온 미스키 레기 바르샤바, 바르샤바
22/23 UCL 조별리그 4차전 F조
샤흐타르 1-1 레알 마드리드

레알이 샤흐타르에게 또 한 번 당할 뻔했다. 정말로 패배 직전까지 갔으나 뤼디거가 자신의 몸을 희생하며 머리의 피와 맞바꾸면서 팀을 위기에서 구해냈다. 누가 보면 레알에 10년째 헌신하고 있는 선수인줄... 나름 올 시즌 신입생이다. 최소 무승부만 해도 16강을 조기 확정지을 수 있었던 레알이기에 뤼디거의 헌신은 매우 값졌다.

22/10/11
22/23 UCL 조별리그 4차전 H조
마카비 하이파 2-0 유벤투스
PSG 1-1 벤피카

3차전에서 첫 승을 따내면서 유로파 청신호가 켜졌던 유베는 원정 리턴 매치에서 치욕적인 일격을 당하면서 그마저도 알 수 없게 됐다. 16강 가능성이 완전히 없어진건 아니지만 PSG와 벤피카가 또 다시 사이 좋게 비기면서 두 경기를 남기고 커트라인에 -5점 뒤져 있기에 사실상 거의 희박. 유베는 벌써 안중에 없고 PSG와 벤피카 중 누가 조 1위할까 하는 분위기다.

22/10/12

디에고 아르만도 마라도나, 나폴리

22/23 UCL 조별리그 4차전 A조

나폴리 4-2 아약스

원정에서 한 팀에게 대승을 하고오면 그 팀을 홈으로 불러서도 그럴 수 있을거라고 보통은 자연스럽게 생각하게 된다. 하지만 의외로 그러지 않은 경우도 종종 있고 심지어 안일한 마인드로 방심하다가 지는 경우도 있는데 나폴리는 그런거 없었다. 챔스에서도 4전 4승을 거두며 16강 조기 확정팀 대열에 합류하였다.

22/10/12

이브록스 스타디움, 글래스고

22/23 UCL 조별리그 4차전 A조

레인저스 1-7 리버풀

레인저스의 선제골이자 올시즌 챔스 첫 골이 터졌지만 살라의 해트트릭을 포함하여 자비없이 무너졌다. 2014 브독 스코어가 나오게 됐는데 문제는 올 시즌 리버풀이 평소에도 2014 독일 같은 강팀의 면모가 아니라는 것. 리그에서도 어쩌다가 본머스전 9-0같은 일시적인 잭팟이 챔스에서는 오늘 터진거라 보면 될 듯. 나폴리에게 후들겨맞고 난 이후에는 순항하고 있다.

22/10/12
캄프 누, 바르셀로나
22/23 UCL 조별리그 4차전 C조
바르셀로나 3-3 인테르

객관적으로 봐도 이번 조별리그 명경기 탑에 들어갈만한 한 판이었으며 캄프 누에 인테르를 이끌고 방문했던 전임 감독들 콘테, 스팔레티는 물론 12년전 이 곳에서 챔스 결승행을 이끌어냈던 무리뉴조차도 하지 못한 무승부를 시모네 인자기가 해냈다. 하지만 이번엔 기대했던 스프링쿨러는 없었다. 바르샤는 청신호가 켜졌다 또 다시 유로파 가는걸로...

22/10/12
두산 아레나, 플젠
22/23 UCL 조별리그 4차전 C조
플젠 2-4 바이에른 뮌헨

전반전에 0-4 스코어를 만들며 너무나 쉽게 승부를 결정지은 바이언은 후반에 느슨해져서인지 몰라도 플젠의 홈팬들에게 두 골을 선물로 주는 자비를 베풀었다 평소와는 달리. 조별리그 32연속 무패 달성.

22/10/12
토트넘 핫스퍼 스타디움, 런던
22/23 UCL 조별리그 4차전 D조
토트넘 3-2 프랑크푸르트

"우리의 16강 가능성이 보이니?"
"조금...?" 독일에서 축구를 시작한
'분잘알' 손흥민이 토트넘의 16강행
가능성 보이게 해줬다.

22/10/15
스타디오 올림피코 그란데 토리노, 토리노
22/23 세리에A 10R
토리노 0-1 유벤투스

주중 이스라엘 마카비 원정 참패로
챔피언스리그 16강이 거의 희박해진
위기에 처한 유벤투스는 이런 폼이면
최근 몇년간 거의 항상 이겨오기만
했던 토리노 더비에서도 과연 승리
를 챙길수 있을까 싶었는데 그건 또
해냈다.

22/10/15
토트넘 핫스퍼 스타디움, 런던
22/23 프리미어리그 11R
토트넘 2-0 에버튼

케인과 호이비에르의 득점으로 개막 후 10경기에서 무패 행진을 달리고 있는 토트넘은 승점 23점으로 같은 경기 수 기준 구단 역사상 최고기록을 달성했다. (종전 기록은 22점이며 11라운드지만 중간에 한 라운드 전체가 밀림) 주중 챔스 포함하여 3연승 중이며 램파드의 에버튼은 계속 위기다.

22/10/16
쥐세페 메아짜, 밀라노
22/23 세리에A 10R
인테르 2-0 살레르니타나

인테르는 주중 캄프누에서 엄청난 경기를 펼치며 값진 승점 1점을 따내는 와중에 팀의 현 실세인 97라인 듀오 라우타로, 바렐라의 대활약이 있었다. 주말 리그 홈으로 돌아와서도 비교적 난이도 쉬운 경기에서 각자 연속골을 이어가며 무난한 승리를 안겨주었다.

22/10/16
올드 트래포드, 맨체스터
22/23 프리미어리그 11R
맨유 0-0 뉴캐슬

지금은 스쿼드에 걸맞는 정상적인 궤도를 달리고 있는 텐 하흐의 맨유라 할지라도, 홈이라 할지라도 이번 시즌 빅클럽 도약과 챔스 진출에 도전하는 하우의 뉴캐슬을 잡아 내긴 어려웠다. 그렇다고 뉴캐슬이 마냥 수비만 쌓은 것도 아니다. 마치 대파와 같은 킷을 입고 나온 뉴캐슬은 매우 단단한 모습을 OT에서도 보여주었다.

22/10/16
빌라 파크, 버밍엄
22/23 프리미어리그 11R
아스톤 빌라 0-2 첼시

마운트의 멀티골로 빌라 원정을 의외로 무난하게 승리하면서 4위가 된 첼시는 4위로 한 경기 더 치른 토트넘에 4점차로 추격하고 있다.

22/10/16
엘란드 로드, 리즈
22/23 프리미어리그 11R
리즈 0-1 아스날

연장전에 승부차기까지 치른 것보다 더한 긴 경기였다. 초반 시간대부터 경기 장비의 부상으로 인하여 멈추게 된 시간은 거의 반 경기 시간에 가까웠다. 빌라-첼시와 같이 현지 시각 3시에 시작하게 된 경기가 거의 해질녘이 될 시간쯤 끝났다. '긴 경기'로 화제가 된 경기 속에 사카의 결승골을 잘 지켜낸 아스날은 이제 의형제 리버풀 응원 모드로.

22/10/16
디에고 아르만도 마라도나, 나폴리
22/23 세리에A 10R
나폴리 3-2 볼로냐

주중 챔스 여파로 또 베스트 멤버를 돌리긴 어려웠던 나폴리는 의외로 난타전의 경기를 펼쳤다. 그러면서 결국 공식 경기 10연승이라는 큰 의미있는 기록을 가져가게 됐다.

22/10/16
스타디오 올림피코, 로마
22/23 세리에A 10R
라치오 0-0 우디네세

지난 라운드에서 3연속 4-0 승리라
는 전무한 기록을 세웠던 라치오는
오늘도 한 번 도전해 봤겠으나 득점
자체, 승리 자체에는 실패했다. 그래
도 5연속 클린시트라는 기록으로 이
어가고 우디네세는 9연속 무패라는
기록으로 이어지며 작은 얼룩말들의
행진이 아직은 맵다.

22/10/16
산티아고 베르나베우, 마드리드
22/23 라리가 9R
레알 마드리드 3-1 바르셀로나

올 시즌 새로 형성된 벤제마 vs 레반
도프스키 구도의 첫 엘클라시코였는
데 첫 판은 어느 모로 봐도 '박힌 돌'
벤제마의 승리였다.

22/10/16
안필드, 리버풀
22/23 프리미어리그 11R
리버풀 1-0 맨시티

커뮤니티 쉴드에서 시즌의 전초전 느낌으로 만났던 두 팀이 안필드에서 만났다. 최근 폼만 보면 대다수가 맨시티의 승리를 예상했으나 '디스 이즈 안필드' 위력이 빛을 발하며 이번에도 승자는 리버풀이었다. 막상 뚜껑을 열어보니 맨시티와 선두 경쟁을 펼치는 팀은 아스날이었는데 의형제들의 이 승리 덕에 4점차로 벌렸다.

22/10/16
스타디오 벤테고디, 베로나
22/23 세리에A 10R
베로나 1-2 밀란

시기상으로 5개월 전이던 지난 시즌 36라운드 이곳에서 멀티골을 넣으며 밀란의 11년만의 스쿠데토에 한발짝 가까워지게 했던 토날리가 오늘도 주인공이 되었다.

22/10/17
루이지 페라리스, 제노바
22/23 세리에A 10R
삼프도리아 0-1 로마

시즌 초반부터 구렁텅이에 빠져있는 위기의 삼프도리아를 구해낼 임무를 가지고 선임된 데얀 스탄코비치 감독이 부임 후 첫 홈경기를 치르게 되었다. 그 상대가 인테르 선수 시절 트레블 스승인 무리뉴 감독이었는데 스승을 당해내진 못했다. 그러면서 삼돌이는 꼴찌로 추락.

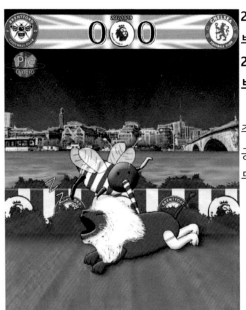

22/10/19
브렌트포드 커뮤니티 스타디움, 브렌트포드
22/23 프리미어리그 12R
브렌트포드 0-0 첼시

주중에 치뤄진 라운드 첼시는 아쉬운 공방전 속에 꿀벌들을 넘지 못하고 무재배... 그래도 7경기 연속 무패.

22/10/19
안필드, 리버풀
22/23 프리미어리그 12R
리버풀 1-0 웨스트햄

가을이 되어서야 홈 득점 신고식. 그거 아세요? 모든 경기를 통합해도 다윈 누네즈의 안필드 득점이 이제서야 처음이라는것.

22/10/19
올드 트래포드, 맨체스터
22/23 프리미어리그 12R
맨유 2-0 토트넘

꿩매치 대신 닭매치 원래 이 라운드의 빅매치는 아스날-맨시티였는데 연기됨으로 인하여 이게 가장 빅매치가 되었다. 덜 빅매치 선제 결승골의 주인공이 된 프레드는 오늘 경기로 인하여 얼굴 탄생.

2022 발롱도르
카림 벤제마 (34/프랑스/레알 마드리드)

66년만에 최고령 발롱도르 수상자가 탄생하였다. 다시 뽑히기 시작한 프랑스 대표팀에서의 활약과 레알 마드리드에서의 활약+챔피언스리그를 포함한 타이틀들을 바탕으로 한 동안 팀 내에서도 호날두에 가려져 있던 그가 마침내 빛을 보았다.

First league victory in a row of this season with Allegri

22/10/21
알리안츠 스타디움, 토리노
22/23 세리에A 11R
유벤투스 4-0 엠폴리

'어떻게든 발롱도르랑 엮기'
개막 후 두달이 넘은 현 시점에서 알레그리의 유벤투스가 드디어 올 시즌 첫 연승을 거두었다. 최근에 벤제마가 발롱도르를 수상하게 되었는데 라비오가 멀티골을 넣으며 역시 발롱도르 보유국 선수다운(?) 활약을 보여주었다. 그는 한달 뒤 치뤄질 월드컵에 레블뢰 군단의 대표로 뛸 가능성이 높아보인다.

22/10/22

시티 그라운드, 노팅엄

22/23 프리미어리그 13R

노팅엄 포레스트 1-0 리버풀

원정 무승이던 리버풀은 최하위의 노팅엄 포레스트한테도 잡히며 카오스에 빠져버렸다. 가만히 보고 있으면 뭔가 혼미해지는 올 시즌 어웨이 킷 문양마냥.

22/10/22

에티하드 스타디움, 맨체스터

22/23 프리미어리그 13R

맨시티 3-1 브라이튼

좋은 전력을 보여주고 있는 브라이튼이지만 건재한 홀란드가 버티고 있는 맨시티 원정까지 당해내기는 어려웠다. 하지만 안필드 원정 해트트릭에 이어 이 와중에도 득점을 한 레안드로 트로사르 (27세/벨기에)는 다가오는 겨울이적 시장 빅클럽들의 구애를 받을 것으로 예상된다. 펩시티가 이미 눈독 들이고 있는지도...?

22/10/22
산 시로, 밀라노
22/23 세리에A 11R
밀란 4-1 몬차

챔스를 병행하고 있는 밀란은 디펜딩 챔피언답게 로테이션을 돌리고도 하위권에 위치한 몬차에 완승을 거두며 미션 클리어하였다. 브라힘 디아즈가 지난 홈경기에서 유베를 무너뜨리는 결승골에 이어서 오늘은 멀티골로 현 '밀란의 10번'을 각인시켰다.

22/10/22
스탬포드 브릿지, 런던
22/23 프리미어리그 13R
첼시 1-1 맨유

첼시를 데리고 5연속 클린시트를 달리던 포터 감독은 오늘도 그 기록을 이어가며 뒤늦은 조르지뉴의 페널티골로 싶었다. 하지만 개막 당시 브라이튼의 사령탑이던 포터 감독에게 당했던 텐 하흐는 그래도 두 번 당하지 않았다. 호날두를 과감히 명단에서 제외시킨 텐 하흐의 맨유는 카세미루의 데뷔골이자 극적인 버저비터골이 터지며 소중한 승점 1점을 획득했다.

22/10/22
아르테미오 프란키, 피렌체
22/23 세리에A 11R
피오렌티나 3-4 인테르

인테르의 올 시즌 써드 킷이 올 옐로로 발표되었고 오늘 처음 선을 보이게 되는데 마침 상대가 보라돌이라 이번 경기는 맞춤형으로 제작하였다. 인테르의 현 실세인 라우타로-바렐라 97라인은 캄프 누에서부터 3연속 칭찬. 그리고 마지막에 치명적인 실책을 저지르며 실점의 원흉인 피렌체 수비수 베누티는 오늘 뿐만 아니더라도 전적(?)이 꽤 있어서 많은 보라돌이의 분노를 샀다. "베누티 친구는 이제 그마안~!"

22/10/23
세인트메리 스타디움, 사우스햄튼
22/23 프리미어리그 13R
사우스햄튼 1-1 아스날

아스날은 의외로 고전하며 사우스햄튼 원정에서 승점 1점에 만족해야 했다. 홀란드처럼 괴물같은 선수가 하드캐리하는 것은 아니지만 3분의 1되는 이 시점까지 원 팀으로써 지는 법을 잊고 프리미어리그 우승의 꿈을 향해 차근차근히 달려가고 있다.

22/10/23
토트넘 핫스퍼 스타디움, 런던
22/23 프리미어리그 13R
토트넘 1-2 뉴캐슬

국내 프리미어리그 시청률이 가장 높을 팀인 토트넘의 경기에서 뉴캐슬이 올 시즌 빅6 체제를 무너뜨림과 동시에 왜 챔피언스리그에 도전할만한 팀인지 만천하에 드러났다. 빅4에 위치해있던 토트넘이 뉴캐슬을 빅4 존으로 끌어다 주었다.

22/10/23
게비스 스타디움, 베르가모
22/23 세리에A 11R
아탈란타 0-2 라치오

사리볼이 워낙 잘 굴러가는 것도 있지만 아탈란타는 파푸-일리치치가 다 박살내고 다니던 시절 만큼은 못하다 확실히 그들이 없으니깐. 그럼에도 아직 아탈란타를 상위권을 이끌고 있는건 가스페리니 감독의 능력이지만 최근 공수에서 뛰어난 모습을 보여주고 있는 사리볼을 당해내긴 어려웠다. 6경기 연속 무실점.

22/10/23
스타디오 올림피코, 로마
22/23 세리에A 11R
로마 0-1 나폴리

10연승을 달리고 있던 선두 나폴리에게도 원정에서 치뤄지는 이 태양의 더비는 고비처였으나 늦은 시각 터진 오시멘의 결승골로 결국 고비처를 넘기며 11연승을 달리게 되었다. 오랜 기간 로마의 감독으로 유명한 스팔레티는 익숙한 이 곳 올림피코에서 올 시즌 이미 라치오와 친정팀 로마까지 다 잡아내며 벌써 승점 3점을 획득해간다.

22/10/25
레드불 아레나, 잘츠부르크
22/23 UCL 조별리그 5차전 E조
잘츠부르크 1-2 첼시

지난 2차전 잘츠부르크와의 홈경기에서 첼시 데뷔전을 치르며 아쉬운 무승부를 거뒀던 포터 감독이지만 밀란과의 연전 승리 그리고 이곳 원정에 와서까지 3연승을 거두며 한 경기를 남겨두고 16강 그리고 조1위까지 확정지었다.

22/10/25

스타디온 막시미르, 자그레브

22/23 UCL 조별리그 5차전 E조

디나모 자그레브 0-4 밀란

첼시와의 연전에서 연달아 패하며 살짝 위기가 왔던 밀란이지만 자그레브에 와서 신나게 관광을 펼쳤다. 마지막 경기 산 시로에서 잘츠부르크와 무승부만 거둬도 16강 행을 달성할 수 있게 되었다.

22/10/25

레드불 아레나, 라이프치히

22/23 UCL 조별리그 5차전 F조

라이프치히 3-2 레알 마드리드

지난 4차전 샤흐타르 원정에서 극적으로 이미 16강 확정은 지었던 레알이지만 오늘 불의의 일격을 당하면서 조 1위를 확정 짓는데는 실패했다. 20/21 시즌 챔피언이자 본인들을 4강에서 막았던 당시 첼시의 베르너에게 또 한 번 당했다.

22/10/25

22/23 UCL 조별리그 5차전 G조

세비야 3-0 코펜하겐

도르트문트 0-0 맨시티

이 조는 이미 4차전부터 싱겁게 갈렸었다. 오늘 이 5차전이 각각 그들만의 나름대로의 플레이오프였는데 세비야는 역시 유로파 본능을 발휘하며 코펜하겐을 완파. 리턴 매치로 치뤄진 홀란드 더비에서 도르트문트는 그를 꽁꽁 묶으며 두 번 당하진 않았다. 하지만 조 1위는 더 유리한 위치에 있던 맨시티의 몫. 그나저나 마레즈는 연속 PK 실축을 시전하고 있는데 그래도 결정적인 경기들이 아니었기에 망정이지 펩 감독은 다시 생각해봐야...

22/10/25

파르크 데 프랑스, 파리

22/23 UCL 조별리그 5차전 H조

PSG 7-2 마카비 하이파

메시, 음바페의 멀티골, 네이마르, 솔레르 그리고 자책골 하나씩 더해 화력쇼를 펼친 PSG. 동시간대에 똑같이 승리를 챙긴 벤피카와 여전히 승점 동률이지만 골득실에서 4골 앞서며 우위를 점하고 있다. 조 1위 싸움은 마지막 라운드까지 계속 될 것으로 보인다. 폭격을 얻어맞는 와중에도 섹 선수의 멀티골로 만회를 한 마카비 하이파는 타구장에서 유베도 똑같이 패한 덕에 마지막까지 유로파리그 진출 희망은 꿈 꿀수 있게 되었다.

22/10/25
에스타디오 다 루즈, 리스본
22/23 UCL 조별리그 5차전 H조
벤피카 4-3 유벤투스

실바한테만 3골을 얻어맞으며 한 때 1-4까지 가며 대참사 조짐이 보였던 유베는 후에 한 점 차까지 따라 잡긴 했지만 그래도 4실점 대참사라는 것은 변하지 않을 것이다. 최근 몇년간 16강만큼은 그래도 기본적으로 꾸준히 가며 빅이어에 도전했었던 유베는 결국 조별리그 5경기 승점 3점으로 16강 실패라는 굴욕을 오랜만에 맛보고 있다. 그렇다고 '유로파 강등'이라는 말을 쓸 수도 없는게 그마저도 모름.

22/10/26
쥐세페 메아짜, 밀라노
22/23 UCL 조별리그 5차전 C조
인테르 4-0 플젠

인테르가 이 4전 4패를 하고 있는 팀을 상대로 한 홈경기에서 이기기만 하면 바르샤는 게임 오버되는 상황이었다. 바르샤에겐 다소 잔인하게도 일찍 열렸던 이 경기를 본인들 경기에 앞서 TV 앞에 자신의 선수들을 모아놓고 시청하게 했다고 한다. 빅토리아의 빅토리를 염원했을 그들의 꿈은 하프타임에 이미 사실상 박살나고 말았다. 이로써 바이언에 이어 C조 16강 남은 한 자리는 이미 인테르로 결정났으며 마지막 라운드 바이언 원정은 전혀 부담 없이 편한 마음으로.

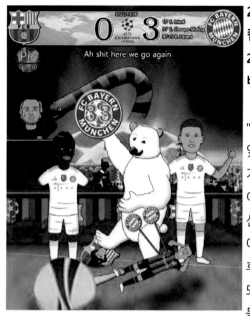

22/10/26

캄프 누, 바르셀로나

22/23 UCL 조별리그 5차전 C조

바르셀로나 0-3 바이에른 뮌헨

"아나 또로파 리그"
앞선 시간에 열린 경기에서 인테르가 기적같이 플젠한테 졌다고 쳐도 어차피 바이언을 이겨야만 하는 큰 산이 기다리고 있었다. 바르샤가 바이언을 이기는 건 본인들 트레블 이후... 레비가 이쪽으로 넘어와도 안되는건 안되는가보다. 뮌헨은 본인들에겐 그다지 어렵지 않은 원정이 된 캄프 누에서 조별리그 33경기 연속 무패행진을 쭉 이어간다.

22/10/26

디에고 아르만도 마라도나, 나폴리

22/23 UCL 조별리그 5차전 A조

나폴리 3-0 레인저스

"아빠 미안 내가 지금 너무 기뻐 part.2" 지난 달 아빠는 마드리드 더비에서 지고 있을때 같은 시각에 아들은 산 시로 밀란 원정에서 결승골을 넣었다. 시메오네 부자의 얘기인데 오늘도 그런 상황이 데자뷰되었다. 완전 동시간 대에 치뤄진 경기에서 아들은 멀티골을 넣으며 팀의 12연승이자 조별리그 5전 전승을 이끌었고, 아빠가 지휘하는 팀은 레버쿠젠을 이기지 못하면서 16강 진출 실패 확정.

22/10/26
요한 크루이프 아레나, 암스테르담
22/23 UCL 조별리그 5차전 A조
아약스 0-3 리버풀

아약스는 텐 하흐 감독이 이끌던 18/19 시즌 같은 임팩트 있는 모습은 더는 찾아볼 수 없었다. 사실 나폴리 한테 6실점 할 때부터 이미... 주말에 자국 리그 꼴찌팀한테 패한 올 시즌 들쑥날쑥의 리버풀이어도 암스테르담 원정은 의외로 쉬웠다. 그래도 첫 판에서 나폴리에게 후들겨 맞은 것 제외하면 내리 4경기를 전부 승리하면서 16강을 확정지었고, 마지막 라운드 안필드에서 나폴리를 3골 차 이상으로 잡으면 희박하지만 조 1위를 할 수는 있다.

22/10/26
토트넘 핫스퍼 스타디움, 런던
22/23 UCL 조별리그 5차전 D조
토트넘 1-1 스포르팅

"90'+5분 케인의 극장골로 토트넘 16강 진출 확정! 응 아니야...아니래... " 마지막 순간 버저비터 결승골이 되는 줄 알았던 케인의 득점이 VAR 오프사이드로 취소된건 말이 굉장히 많았다. 이 판정에 결국 성질나온 콘테 감독은 퇴장당했고 그러면서 이 조의 나머지 프랑크푸르트, 마르세유까지 누구도 16강 확정, 탈락이 없는 조가 되었다. 즉 모든 팀의 향방이 마지막 라운드 가봐야 알 수 있게 되는 "까고 보니 진정 죽음의 조".

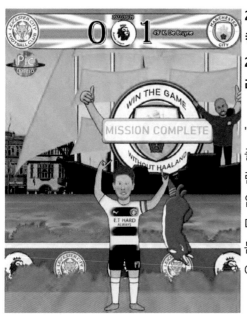

22/10/29
킹 파워 스타디움, 레스터
22/23 프리미어리그 14R
레스터 0-1 맨시티

"홀란드없이 경기를 이겨라! 미션 컴플리트" 대권을 노리는 맨시티는 홀란드를 시즌 내내 쓸 순 없으니 이가 없으면 잇몸으로 굴려야 한다. 그런데 그 잇몸이 데 브라이너라는 빅 잇몸이니까 별 문제 없이 이길 수 있다 아직까지는.

22/10/29
디에고 아르만도 마라도나, 나폴리
22/23 세리에A 12R
나폴리 4-0 사수올로

나폴리의 홈구장 이름의 주인공이자 구단 그 자체인 마라도나의 생일을 하루 앞두고 치뤄진 홈경기에서 전반전에 이미 세 골로 진즉에 축제의 장이 열렸다. 그리고 오시멘이 자신의 해트트릭을 완성하며 팀은 13연승을 이어갔고 이 승리를 마라도나에게 아니 이 승리들을 모아모아 시즌 끝난 후 스쿠데토로 그에게 바칠 준비가 되어있다.

22/10/29
바이탈리티 스타디움, 본머스
22/23 프리미어리그 14R
본머스 2-3 토트넘

'2019 루카스 모우라의 역할 3등분'
전반 1-0, 후반 초반 2-0, 그리고 후
반 추가시간 버저비터 골 2-3... 원정
팀 토트넘이 이런 식으로 이기는건
3년 전 암스테르담의 기적을 떠오르
게 한다.

22/10/29
아메리칸 익스프레스 커뮤니티 스타디움,
브라이튼
22/23 프리미어리그 14R
브라이튼 4-1 첼시

득점은 2-3인데 스코어는 4-1이다.
포터 감독은 친정팀을 상대로 굴욕
적인 대패를 당하며 본인의 첼시 부
임 후 첫 패를 이런식으로 쓰라리게
기록했다. 트로사르는 이 와중에도
빅클럽 상대로 득점을 또 뽑아내며
자신의 주가를 한껏 끌어올리고 있
다.

22/10/29
비아 델 마레, 레체
22/23 세리에A 12R
레체 0-1 유벤투스

"올드 레이디를 이끌어가는 영 보이즈" 부상 여파로 인하여 선발이든 교체든 유베 쪽에 00년대생 어린 선수들이 많이 보였던 가운데 결승골의 주인공인 파쫄리도 01년생이다. 그러면서 3연속 무실점 승리를 이어가고 있는 알레그리의 유벤투스는 그렇다 하더라도 챔피언스리그의 치욕은 웬만해선 씻기 힘들 것이다.

22/10/29
쥐세페 메아짜, 밀라노
22/23 세리에A 12R
인테르 3-0 삼프도리아

90년대 후반~00년대 초반 라치오의 전성기를 함께 보냈던 두 친구 시모네 인자기와 데얀 스탄코비치가 감독으로 만났다. 하지만 그보다 더 이슈로 떠오르는 포커스는 역시 2010 인테르 트레블 주역이었던 '데키' 스탄코비치의 산 시로 방문이었다. 역시 홈팬들은 그를 따뜻하게 맞아주었으며 인테르는 전력대로 좋은 기세를 이어가고 있다. 반면 환대 받은 것은 기쁘겠으나, 별개로 삼돌이를 구출해야할 임무를 맡은 스탄코비치의 세리에A 감독 여정은 아직까지 쉽지 않다.

22/10/29
안필드, 리버풀
22/23 프리미어리그 14R
리버풀 1-2 리즈

"이것이 안필드다 하지만 질 수도 있어" 리그 기준 안필드에서 반 다이크와 함께 하면 지지 않는 공식도 이젠 69경기에서 마감되었다. 상대가 명문팀이지 빅클럽은 아니기에 예상치 못해 콥들에게는 다소 충격적.

22/10/30
에미레이츠 스타디움, 런던
22/23 프리미어리그 14R
아스날 5-0 노팅엄 포레스트

먼저 경기를 치른 맨시티에 잠시 선두를 빼앗긴 아스날이었지만 홈에서 최하위 노팅엄을 상대하는만큼 딱 걸맞는 경기와 결과를 내면서 선두 자리를 지킬수 있게 되었다. 이탈리아 세리에A의 몬차로 임대가서 괴한의 습격을 받아 부상을 당한 파블로 마리에게 보내는 응원의 메세지를 담은 헌정 세레머니도 잊지 않았다.

22/10/30
올드 트래포드, 맨체스터
22/23 프리미어리그 14R
맨유 1-0 웨스트햄

'성대한 생일 이브 자축 파티 (feat. 캡틴 매과이어)' 맨유의 현재를 책임지고 있는 래쉬포드는 자신의 25번째 생일 하루 앞두고 치른 경기에서 자신의 구단 통산 100호 골이 터짐과 동시에 결승골이 됨으로써 자신이 주인공이 되기에 이보다 완벽할 수가 없다. 그리고 그의 생일상을 망치지 않기 위해 뒤에서 이를 악물고 최선을 다한 캡틴 벽과이어의 활약도 빼놓을 순 없다. 또한 맨유 입장에서는 다른 감독한테는 몰라도 모예스의 팀에게 질 순 없을 것이다.

22/10/30
스타디오 올림피코, 로마
22/23 세리에A 12R
라치오 1-3 살레르니타나

라치오는 로마 더비를 앞두고 가볍게 이겨야할 경기에서 이보다 최악일 수 없는 경기를 펼쳤다. 일단 ex 선수 칸드레바한테 '친정실점'으로 동점 당한걸 시작으로 후반전은 그야말로 악몽이었다. 그리고 전 로마니스타 파지오에게 역전골 얻어맞고, 옐로 트러블이 있었던 팀의 핵심 밀린코비치-사비치가 경고를 받으며 로마 더비 결장 확정... 그리고 추가골 더 얻어맞고 K.O.

22/10/30
스타디오 올림피코 그란데 토리노, 토리노
22/23 세리에A 12R
토리노 2-1 밀란

밀란의 지난 시즌 스쿠데토의 큰 원동력이 되었던 기나긴 리그 원정 무패 행진이 마침내 이 시점에 와서 종료되었다. 그러면서 이 기록은 17에 멈췄는데 물론 홈도 아니고 원정에서 세운 기록이라 그동안 대단했다.

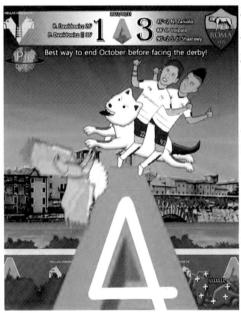

22/10/31
스타디오 벤테고디, 베로나
22/23 세리에A 12R
베로나 1-3 로마

로마 더비를 앞두고 라치오가 이번 라운드에서 최악의 역전패를 펼친 것과 맞물려 로마는 정반대로 역전승을 거두며 잘 마무리할 수 있었다. 전반에 선제골을 넣고 10분만에 퇴장 당하며 '가린샤'를 한 베로나 선수 덕에 오랜 시간 수적 우위를 점한 로마는 라치오를 빅4 존에서 밀어내고 본인들이 그 자리에 진입했다. 간접 대결로 전초전부터가 흥미진진하게 흘러간다. 한 편 베로나는 7연패의 수렁에 빠졌다.

22/11/1

22/23 UCL 조별리그 6차전 B조

포르투 2-1 아틀레티코 마드리드

레버쿠젠 0-0 클럽 브뤼헤

1.포르투: 첫 단추를 잘못 꿰도 정신만 차리면 결국엔 원하는대로 뒤집을 수 있다는 교훈을 주었다.

2.클럽 브뤼헤: 16강 진출 확정을 그것도 두 경기 남기고 확정 지은게 놀랍다.

3.레버쿠젠: 아틀레티코를 꼴찌로 밀어내고 3위를 차지하며 유로파라도 가게 되며 알론소 감독의 본격 시험 무대.

4.아틀레티코 마드리드: 첫 판에서 포르투에게 극장승 이 후 1승도 못 거두면서 꼴찌로 탈락할 거라고는 좀처럼 예상하기 힘든 일이었다. 들끓는 '시메오네 아웃' 여론.

22/11/1

안필드, 리버풀

22/23 UCL 조별리그 6차전 A조

리버풀 2-0 나폴리

둘다 16강은 확정지었지만 조 1,2위가 뒤바뀌기 위해서는 리버풀이 세 골 차 이상 승리하는 시나리오가 나와야만 가능했다. 두번 째 골이 조금만 더 이르게 터졌어도 '디스 이즈 안필드'에서 끝까지 어찌 될지 모르게 긴장감 있게 전개되었을 것이다. 리버풀에게는 그래도 올 시즌 통틀어 패배하는 법을 아예 잊으며 13연승을 달리던 나폴리에게 패배를 일깨워 주는데 만족해야 했다.

타구장 경기는 어차피 탈락한데다가 관심도도 떨어지는 레인저스-아약스인데다가 현재 아약스가 아무리 못해도 레인저스보단 나은 팀이기에 이기고 어차피 유로파는 갔다. 끝.

22/11/1
알리안츠 스타디움, 뮌헨
22/23 UCL 조별리그 6차전 C조
바이에른 뮌헨 2-0 인테르

어차피 둘다 16강 확정에 1,2위 자리가 각각 정해진 상태에서 붙는지라 일말의 긴장감도 없을 빅매치가 되었다. 그렇다하더라도, 빅매치 딱지가 붙었다하더라도 어이뮌. 어차피 이기는 건 뮌헨이다. 그들은 조별리그 34경기 연속 무패 행진 + 최근 네 시즌 중 세 시즌을 6전 전승으로 마무리하였다. 이 정도면 우승을 한 번 더 해주는게 맞지 않을까...?

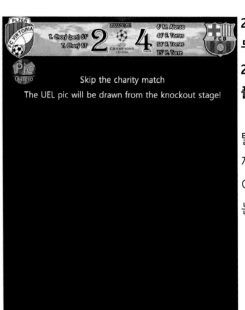

22/11/1
두산 아레나, 플젠
22/23 UCL 조별리그 6차전 C조
플젠 2-4 바르셀로나

탈락 확정된 두 팀의 경기를 할까 말까 고민고민하다가 자선 경기는 굳이 그릴 여력은 안되고 유로파 리그는 토너먼트부터 그려집니다.

22/11/1

22/23 UCL 조별리그 6차전 D조

마르세유 1-2 토트넘

스포르팅 1-2 프랑크푸르트

1.토트넘: 전반만 해도 조 3위. 결과적으로 16강행을 1위로 확정지었지만 과정은 오늘만 봐도 매우 험난했다.

2.프랑크푸르트: 전반만 해도 꼴찌. 하지만 본인들이 왜 지난 시즌 유로파 우승 팀인지 저력을 보여주었다.

3.스포르팅: 전반만 해도 조 1위인 유리한 상황속에서도 역전을 당하며 16강 티켓을 넘겨주게 되었다.

4.마르세유: 그냥 비긴 채로 끝났어도 유로파는 갈 수 있었는데 희생양이 되고 말았다. 까고 보니 이 조가 진정 죽음의 조.

22/11/2

22/23 UCL 조별리그 6차전 F조

레알 마드리드 5-1 셀틱

샤흐타르 0-4 라이프치히

1.레알 마드리드: 발롱도르에 빛나는 벤제마가 득점하지 않고도 각각 5명이 잔치를 벌이며 결국 어차피 조 1위는 레알.

2.라이프치히: 잘했지만 어차피 조 1위는 레알. 16강에서 어떤 모습 보여줄지 기대.

3.샤흐타르: 자국 우크라이나가 아직 고통받고 있어서 이번 챔스 홈경기를 폴란드에서 치르고 있는데 유로파 가서 샤흐타르를 응원하는 자국팬들에게라도 힘이 되었으면 한다.

4.셀틱: 레인저스도 그렇고 단 1승도 못 거두고 꼴찌로 탈락. 그래도 셀틱은 전패 아님.

22/11/2

22/23 UCL 조별리그 6차전 E조

첼시 2-1 디나모 자그레브

밀란 4-0 잘츠부르크

1.첼시: 이미 조 1위가 확정되어 있었지만 첫 판에 패배를 안겼던 자그레브를 유로파조차도 못 나가도록 복수에 성공.

2.밀란: 13-14시즌 돌아온 카카 시절 이후 9년 만에 16강 진출 목표를 달성.

3.잘츠부르크: 애초 2강으로 분류되었던 첼시와 밀란의 벽을 넘지는 못했지만 자그레브와의 3위 경쟁에서 승리하며 유로파 리그의 무대로 옮겨갔다.

4.디나모 자그레브: 1위팀을 이긴 꼴찌팀으로 유럽 대항전을 마감했다.

22/11/2

22/23 UCL 조별리그 6차전 G조

맨시티 3-1 세비야

코펜하겐 1-1 도르트문트

1~4위 각 모든 자리가 다 정해진 가장 싱거워진 조

맨시티는 이미 두 경기를 앞두고 16강을 확정지은 맨시티는 부담이 없어진 상황에서 홀란드를 거의 쓰지 않고도 조 1위를 달성하는 미션에 성공했다. 세비야도 역시 이 경기 패배는 전혀 타격이 되지 않을 것이다 그들의 진정한 무대이자 대회는 유로파리그니까.

22/11/2
22/23 UCL 조별리그 6차전 H조
유벤투스 1-2 PSG
마카비 하이파 1-6 벤피카

1.벤피카: 아니 이걸 해낸다고? 꾸역꾸역 6골을 넣으면서 설마설마했던 조 1위를 탈환. 승점-승자승 등등 여러 가지 조건들을 차례로 거르고 걸러 전체 원정 다득점(9골)이 PSG(6골)보다 앞질렀다.

2.PSG: 아직 자신들이 왜 때문에 조 2위가 되었는지 파리둥절한 팬들도 꽤 있을 듯. 저쪽 스코어가 또 하필이면 6-1 '그 스코어'

3.유벤투스: 이쯤 되면 16강을 못 갔다고 좌절할게 아니라 6경기에서 달랑 승점 3점만으로 유로파라도 갈 수 있으면 다행으로 여기는게 정신 건강에 좋을 듯...?

4.마카비 하이파: 마지막까지 희망을 가지고 유베와 치열한 유로파 경쟁을 펼쳤지만 결국은 밀렸다.

22/11/5
에티하드 스타디움, 맨체스터
22/23 프리미어리그 15R
맨시티 2-1 풀럼

프리미어리그 적응을 한참 넘어 '골무원'이 된 홀란드가 PK 하나 넣고 옷 벗게 만든 그만큼 어렵고 절박했던 오늘의 맨시티였다. 칸셀루의 퇴장+PK 헌납이 경기를 이렇게 자체 난이도를...

22/11/5
게비스 스타디움, 베르가모
22/23 세리에A 13R
아탈란타 1-2 나폴리

나폴리는 주중에 안필드 원정 가서 올 시즌 통틀어 첫 패를 당하긴 했지만 별 타격 없고 리그 연승은 유효하다. 쉽지 않다고 여겨지지만 예전 파푸, 일리치치 시절보다는 그나마 쉬운 베르가모 원정도 넘고 리그 9연승을 질주!

22/11/5
산 시로, 밀라노
22/23 세리에A 13R
밀란 2-1 스페치아

유스 선수 때 포함 커리어 31년간 이적 하나 없이 밀란에만 헌신했으며 단장 직을 맡아오고 있는 밀란 그 자체 파올로 말디니의 입장에서 실점을 안긴 주인공이 자신의 아들이라면 도대체 어떤 감정일까 궁금하다. 그래도 친아들이면 못 참지... 싶다. 그래도 자신의 아들이 득점하면 팀 승리는 자신의 팀이 가져갔으니 파올로 말디니에게는 최상의 시나리오 아닌가 싶다.

22/11/6
스탬포드 브릿지, 런던
22/23 프리미어리그 15R
첼시 0-1 아스날

런던뿐만 아니라 잉글랜드가 레드 앤 화이트, 화이트 앤 레드... 실족할 수도 있었던 맨시티가 극적으로 승리를 가져갔으니 첼시 원정에서 이겨야만 본전을 뽑을 수 있는 부담스러운 상황의 아스날이었는데 이렇게 고비를 넘는거보면 심상치가 않다.

22/11/6
빌라 파크, 버밍엄
22/23 프리미어리그 15R
아스톤 빌라 3-1 맨유

"Good Ebening 빌라 팬들~!"
경기전부터 살짝 불안한 맨유팬들이 몇몇 있었을 것이다. 빌라에 제라드 감독이 경질되고 데려온 후임이 이미 프리미어리그 경험도 있는 에메리 감독인데 현 빌라 정도 위상의 팀에 이 정도 선임이면 대박인듯. 그것을 첫 경기 결과로도 증명했다!

22/11/6
토트넘 핫스퍼 스타디움, 런던
22/23 프리미어리그 15R
토트넘 1-2 리버풀

주중 마르세유 원정에서 온 힘을 다 쏟아부은 토트넘은 결과는 얻었지만 그 과정에서 손흥민을 잃은 채 이 중요한 경기를 치를 수 밖에 없었는데 역시나 손실을 막지 못했다. 리버풀은 이 중요한 경기에서 살라가 멀티골을 터뜨리면서 나폴리전에 이어 오늘도 강팀다운 면모를 보여주었다. 리버풀은 월드컵 브레이크 앞두고 부활하나? 아니면 부활하려 하니까 월드컵 브레이크인가?

22/11/6
스타디오 올림피코, 로마
22/23 세리에A 13R
로마 0-1 라치오

중요한 데르비 앞두고 각각 어떤 경기를 치뤘건 간에 이럴 때 보면 전혀 상관이 없다. (전 라운드 참조) 밀린 코비치-사비치 경고 누적 결장으로 큰 타격이 될거라 예상했던 라치오가 꾸르바 수드 로마 울트라스들이 가득 깔려있는 앞에서 승리를 가져갔다.

22/11/6
알리안츠 스타디움, 토리노
22/23 세리에A 13R
유벤투스 2-0 인테르

주중에 각각 치른 챔스 경기를 보자면 이번 데르비 디탈리아는 인테르가 유리해보였지만 앞에 로마 더비랑 비슷한 맥락으로 데르비는 가끔 그런 것들을 전혀 무관하게 만든다.

챔스에서 유베 팬들에게 병을 준 알레그리 감독이 리그에서는 또 약을 주고 있다. 전혀 딴 판의 행보를 보

이더니 데르비까지 완승으로 잡아내며 리그 4연속 무실점 승리를 선사. 반면 심자기는 두시즌 연속 챔스 16강은 좋으나 올 시즌 아직 빅클럽 상대 승점 0...

22/11/8
디에고 아르만도 마라도나, 나폴리
22/23 세리에A 14R
나폴리 2-0 엠폴리

월드컵 브레이크를 앞두고 치뤄지는 주중 경기. 마치 방학 숙제가 밀릴것을 대비해 미리 몰아서 오버 페이스하는 느낌이다. 10월 이달의 감독상을 수상한 스팔레티 감독은 그에 걸맞게 리그 10연승을 달성하였다.

22/11/8
스타디오 죠반니 지니, 크레모나
22/23 세리에A 14R
크레모네세 0-0 밀란

오리기의 선제골이 터졌나했지만 VAR 오프사이드로 취소되었다. 밀란은 여기서 발목 잡히며 선두 나폴리와의 거리가 좀 더 멀어졌다.

22/11/9
비아 델 마레, 레체
22/23 세리에A 14R
레체 2-1 아탈란타

레체는 7경기만에 승리를 따냈고 3위였던 아탈란타는 지난 나폴리전에 이어 여기서까지 잡히면서 연패에 빠졌다. 근데 원래 보통 리그 당 최대 6경기 그리는데 어쩌다 아탈란타 경기까지 해서 이 라운드는 7경기가 되었다. 세리에는 아탈란타까지 껴서 빅7으로 매경기 해줘야하는거 아니냐, EPL은 뉴캐슬까지 껴서 빅7으로 가줘야하는거 아니냐 하는 일부 댓글이나 DM이 인스타에서 있었긴 했지만 능력이나 체력 상 아직은 보류...

22/11/9
마페이 스타디움, 치타 델 트리콜로레
22/23 세리에A 14R
사수올로 1-1 로마

타미가 늦은 시간 선제골을 터뜨렸지만 로마의 현재 경쟁 상대이기도 한 인테르 출신의 공격수 피나몬티가 동점골을 터뜨렸다. 하지만 인테르의 무버지 무리뉴가 좌절.

22/11/9
쥐세페 메아짜, 밀라노
22/23 세리에A 14R
인테르 6-1 볼로냐

인테르는 지난 홈경기때 트레블의 주역인 스탄코비치를 만났다면 이번엔 티아고 모따를 만날 차례였다. 주말에 데르비 디탈리아에서 무득점에 그친 완패를 모따에게는 미안하게도 볼로냐에 화풀이를 하듯 대승을 가져갔다. 축구에서 흔히 나올 수 있는 스코어는 아닌데 신기하게도 지난 시즌 볼로냐를 홈에서 상대했을때와 동일한 스코어를 뽑아냈다. 다만 인테르는 지난 시즌 막판 원정에서 치뤄진 볼로냐전에서 악몽을 겪었기 때문에 그 곳에서 조심해야.

22/11/10
스타디오 벤테고디, 베로나
22/23 세리에A 14R
베로나 0-1 유벤투스

'삼바군단의 일원 산드루 월드컵 앞두고 자체 조기 휴식 들어가' 유벤투스 일부 현지팬들은 얘기한다 "산드루도 월드컵에 나가는데 그것도 브라질 대표로... 우리 이탈리아는 왜?!" 결승골은 모이스 켄이 넣었는데 등장은 퇴장 당한 산드루가 주인공인 느낌이다. 이유는 간단하다 산드루는 얼굴이 있고 켄은 아직 없는데 월드컵을 카운트 다운하고 있는 이 시점부터는 새로 그릴거면 월드컵 출전할 선수만 그릴것이다. 켄은 0%다 이탈리아 국적이라... 출전 티켓이 가장 많이 주어지는 유럽 국가임에도 불구하고 월드컵에 두 번 연달아 나가지도 못하는 그대의 축구 변방국(?)을 원망하도록. 알레그리의 유베는 무실점 5연승을 달리는 한 편, 베로나는 8연패의 수렁에 빠졌다.

22/11/10
스타디오 올림피코, 로마
22/23 세리에A 14R
라치오 1-0 몬차

라치오의 리틀 보이가 승리를 이끌었다. 퍼스트 네임과 세컨 네임이 각각 흔하지만 붙여놓으면 생소한 루카 로메로는 04년생(17세)이며 아르헨티나 U-20 대표의 유망주 중 한 명이다. 과연 몇년 뒤 얼마나 성장해서 아르헨티나 대표 혹은 세리에 주요 선수로 그려질 날이 올지...?

22/11/12
에티하드 스타디움, 맨체스터
22/23 프리미어리그 16R
맨시티 1-2 브렌트포드

현 1위는 아니긴 해도 요즘 시대 프리미어리그 최강자 맨시티를 원정 가서 멀티골을 꽂은 브렌트포드의 아이반 토니(26/잉글랜드)는 끝내 사우스게이트 감독의 콜을 받지 못했다. 카타르에 출격할 삼사자 군단의 명단이 발표된 가운데 "OO는 왜 안 뽑냐"라고 지적한 대상 중 한 명인데 사실 그런건 어느 국대든 어느 감독이 맡아도 나오는 소리이기 마련이다. 어쨌든 맨시티는 선두를 추격하는 와중에 브레이크를 밟고 월드컵 브레이크를 보내게 되었다.

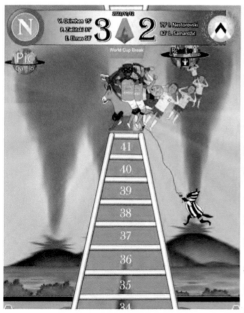

22/11/12
디에고 아르만도 마라도나, 나폴리
22/23 세리에A 15R
나폴리 3-2 우디네세

월드컵 브레이크를 앞두고 치뤄진 마지막 경기도 승리로 장식하였다. 막판에 조금 쫄리긴 했지만 2위보다 +8점 앞선 선두 자리에 랭크되며 이제 편하게 월드컵을 보면 된다. 나폴리의 경우는 오늘 득점자인 지엘린스키 (폴란드) 포함하여 월드컵 출전러가 5명밖에 되지 않기 때문에 부담이 그리 크진 않다. 월드컵에 연달아 자취를 감춘 자국 이탈리아를 포함하여 각 대륙에서 축구 변방 축에 속하는 국가 출신 선수들이 많기 때문에 가능한 시나리오.

22/11/12
안필드, 리버풀
22/23 프리미어리그 16R
리버풀 3-1 사우스햄튼

브라질과 우루과이를 대표하는 남미 듀오가 득점을 뽑아냈다. 그리고 이제 그들은 카타르로! 아니 잠깐 피르미누는 못 간다 못 뽑혀서. 피르미누 정도의 플레이어도 외면받는 얼마나 대단한 삼바 군단은 이번에 우승 각인가...?

22/11/12
세인트 제임스 파크, 뉴캐슬
22/23 프리미어리그 16R
뉴캐슬 1-0 첼시

10월 이 달의 감독 상을 받은 에디 하우 감독이 이끄는 뉴캐슬은 첼시까지 격파하며 5연승을 달리고 있어서 월드컵 브레이크가 아쉬울 것이다. 반대로 첼시는 5연속 무승으로 불안한 상태에서 월드컵 브레이크에 들어가서 흐름 끊게 된게 다행인가 싶다가도 차출되는 선수는 12명으로 더럽게 많아 (?) 이 변수 때문에 연말에 돌아올 리그 경기에서 분위기 반전이 가능할지는 미지수.

22/11/12
토트넘 핫스퍼 스타디움, 런던
22/23 프리미어리그 16R
토트넘 4-3 리즈

월드컵 브레이크를 앞두고 아주 난타전을 펼치며 토트넘이 결국 승리를 가져갔다. 영국인 두 명과 우루과이인 한 명의 멀티골. 근데 앞서 리버풀 경기에서도 우루과이인이 멀티골 넣었는데 이쪽에서도 이래버리면 음... 그들 개인으로써 다음 경기 상대는 대한민국이다.

22/11/12
몰리뉴 스타디움, 울버햄튼
22/23 프리미어리그 16R
울버햄튼 0-2 아스날

리그 최하위와 최상위의 맞대결이었으며 최상위 아스날이 외데고르의 멀티골로 가볍게 승리하며 월드컵 브레이크 전 1위 자리를 잘 지킴과 동시에 놀랍게도 패배한 맨시티보다 승점 차이를 3점 더 벌리며 마무리했다. 울버햄튼은 로페테기 감독을 선임하여 오늘은 관전만 하고 월드컵 브레이크 이후 데뷔를 앞두고 있다. 오늘 자신이 맡아야 할 이 꼴찌 팀의 보면서 과연 무슨 생각을 했을지?

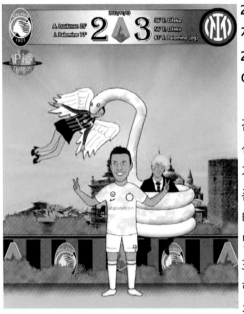

22/11/13
게비스 스타디움, 베르가모
22/23 세리에A 15R
아탈란타 2-3 인테르

감독을 대상으로 할때 인테르가 져 선 안 될 상대가 가스페리니인데 그 가 아탈란타를 맡아 전성시대를 오 픈할 당시까지 원정에서 만큼은 인 테르가 절대 이기질 못하다가 최근 몇 년 간은 승률을 많이 올리고 있다. 36살 제코의 득점력이 상당히 훌륭 한 가운데 올 해 마무리를 좋게 가져 갔다. 보스니아 국가대표에서 아직 은퇴하지 않았기에 그들이 월드컵에 나갔으면 무조건 차출됐을 제코 옹이지만 이대로 올해 끝 날 때까지 요양을 취할 수 있게 되었다.

22/11/13
스타디오 올림피코, 로마
22/23 세리에A 15R
로마 1-1 토리노

토리노에게 불의의 일격을 당할 위 기에 놓였던 로마는 인저리 타임 얻 은 PK로 동점의 기회를 잡았다. 직전 까지 토리노에서 7시즌 뛴 전 주장 벨로티가 키커로 나섰지만 골대를 맞추는 실축을 하고 말았다. 로마에 입단해서 아직도 리그 득점이 없었 는데 친정 사랑을 발휘하며 이마저 도 놓쳐버렸다. 그나마 다행히도 마 티치의 중거리포가 제대로 걸리며 패배는 면할 수 있게 되었다. 오히려 마티치 가 벨로티보다 더 먼저 리그에서의 로마 데뷔골을 터뜨렸다.

22/11/13
크레이븐 코티지, 런던
22/23 프리미어리그 16R
풀럼 1-2 맨유

경기는 맨유의 꼬꼬마의 버저비터골로 극적으로 승리했는데 명단 제외로 경기에 나서지도 못하는 호날두 얘기로 떠들썩했다. 이미 시즌 시작 전 여름부터 시끌시끌했지만 결국 팀을 못 옮긴 호날두는 월드컵 이후 다가올 겨울 이적시장에는 기필코 어딘가로는 떠나지 않을까 싶다.

22/11/13
산 시로, 밀라노
22/23 세리에A 15R
밀란 2-1 피오렌티나

포르투갈 대표로 자신의 첫 월드컵을 앞두고 폼을 한껏 끌어올린 하파엘 레앙이었고, 피오렌티나의 세르비아 대표 밀렌코비치... 무승부로 끝낼 수 있었던상황에서 후반 인저리 타임 극적인 자책골을 넣고 카타르로 도망.

22/11/13
알리안츠 스타디움, 토리노
22/23 세리에A 15R
유벤투스 3-0 라치오

모이스 켄: "자책골 넣은 밀렌코비치 얼굴은 새로 그려주면서 멀티골 넣은 나는 왜?"

"밀렌코비치는 월드컵 나간다"

3골중에 2골을 책임 진 모이스 켄이 이 경기의 주인공인건 맞지만 이 시기에는 이번 월드컵에 출전하는 선수들만 새로 그릴 것이기에 자국을 탓해야... 사실 나갔어도 그가 아주리 대표로 뽑혔을지는 모르지만 말이다. 월드컵 브레이크를 앞두고 치뤄진 라운드에서 가장 마지막 타임에 열리는 가장 빅매치였지만 사리볼이 친정팀을 상대로 힘을 쓰지 못하며 의외로 싱겁게 끝났다. 이탈리아가 월드컵을 못 나감에도 무려 12명을 차출하게 되는 유벤투스는 일단 6연속 클린시트 승리로 잘 마무리. 월드컵이 끝나면 내년으로 넘어가는 세리에 다음 라운드인데 과연 모이스 켄의 얼굴은 2023년에는 탄생할 수 있을 것인지...?!

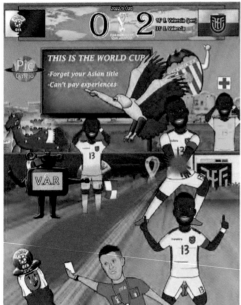

개막전

22/11/20
알 바이트 스타디움, 알 코르
2022 카타르 월드컵 A조 1차전
카타르 0-2 에콰도르

-최근 아시안컵 타이틀 따위는 잊어
라(우물 안 개구리)
-이탈리아를 이번 월드컵에서 볼 수
있는 유일한 루트 '다니엘레 오르사
토' 세리에A 주심
-돈으로 월드컵 개최 및 출전은 살
수 있지만 경험은 살 수 없다
-오프사이드 반자동 시스템 도입. 기
술의 진화
-발렌시아 원맨쇼

22/11/21
칼리파 인터내셔널 스타디움, 도하
2022 카타르 월드컵 B조 1차전
잉글랜드 6-2 이란

-직관하러 온 베컴의 라떼 시절에도
못 본 잉글랜드의 몸값에 걸맞는 경
기력과 결과

-개막 전부터 국가 내부 사정으로 뒤
숭숭했던 이란... 그들 에게 자유를

잉글랜드는 이란을 상대로 자신들의
퍼포먼스를, 이란은 이슬람 공화국
을 상대로 퍼포먼스를 보여주었다.

22/11/21
알 투마마 스타디움, 도하
2022 카타르 월드컵 A조 1차전
세네갈 0-2 네덜란드

-한 대회 거르고 8년만에 복귀한 네덜란드, 믿고 보는 반 할의 오렌지 군단

-대회 시작전부터 뼈아픈 세네갈의 스타 플레이어 마네의 부상 낙마

22/11/21
아흐메드 빈 알리 스타디움, 알 라얀
2022 카타르 월드컵 A조 1차전
미국 1-1 웨일즈

-전 축구선수이자 현 라이베리아 대통령 조지 웨아의 아들 티모시 웨아가 미국 국가대표로써 월드컵에서 득점

-64년만에 월드컵 본선에 진출한 베일즈(베일 + 웨일즈) 페널티지만 감격적인 본선 득점 및 승점 획득

22/11/22
루사일 아이코닉 스타디움, 루사일
2022 카타르 월드컵 C조 1차전
아르헨티나 1-2 사우디 아라비아

-드디어 나왔다 이번 월드컵 첫 이변
"이것이 축구고 이것이 월드컵이다"
-아르헨티나의 A매치 36경기 무패
행진... 정작 월드컵 본선 와서 사우
디 상대로 깨지며 개망신
-진화된 오프사이드 판독 기술로 아
르헨티나 3개의 필드골 모두 무효
-메신 위에 알라 신

지금까지의 중동 축구의 안 좋은 인식을 깨버리는 그들의 순수 실력과 투지로
이뤄낸 역전승이다. 현재까지 가장 인상적인 최고의 팀.

22/11/22
에듀케이션 시티 스타디움, 알 라얀
2022 카타르 월드컵 D조 1차전
덴마크 0-0 튀니지

경기의 승자는 없었지만 인생 승자
는 있다. 2021년 6월 유로 2020에서
경기 중 실신을 하며 전세계를 안 좋
은 의미로 깜짝 놀라게 만들었던 에
릭센... 1년 5개월이 지난 지금 국가
대표로써 월드컵 경기에 선발 출전
을 했고 심지어 득점도 할 수 있었다.
아직 서른 밖에 안 된 그의 앞 날 행
복축구만 하길 기원한다. 이것이 이
경기의 쥐어짜낸 하이라이트 및 요
약.

22/11/22
라스 아부 아부드 스타디움, 도하
2022 카타르 월드컵 C조 1차전
멕시코 0-0 폴란드

전세계 탑 스트라이커 중 한명인 레반도프스키의 월드컵 득점... 월드컵 출전때마다 하이라이트를 양산해내는 멕시코의 수문장 오초아가 그 쉬운 페널티 골조차도 허용하지 않는다. 레반도프스키는 2018년 러시아 월드컵 출전을 시작으로 4번째 경기였는데 아직도 0골. 이번이 마지막일 확률이 높은데 과연 월드컵 무득점이라는 오명을 가지고 커리어를 마무리할 것인지....?

22/11/22
알 자눕 스타디움, 알 와크라
2022 카타르 월드컵 D조 1차전
프랑스 4-1 호주

-사우디에 이어 호주도? '굿윈' 선수의 선제골이 있었지만 굿 윈은 레블뢰 군단이 가져갔다

-프랑스는 호주 뿐만 아니라 월드컵 디펜딩 챔피언의 저주도 이겼다 아직 첫 경기지만

-지루 프랑스 국가대표 A매치 51골로 최다득점자 앙리와 동률

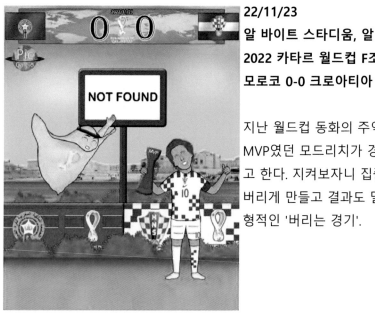

22/11/23
알 바이트 스타디움, 알 코르
2022 카타르 월드컵 F조 1차전
모로코 0-0 크로아티아

지난 월드컵 동화의 주역이자 전체 MVP였던 모드리치가 경기 MVP라고 한다. 지켜보자니 집중력을 잃어버리게 만들고 결과도 말해주는 전형적인 '버리는 경기'.

22/11/23
칼리파 인터내셔널 스타디움, 도하
2022 카타르 월드컵 E조 1차전
독일 1-2 일본

아르헨-사우디 경기에 이어 어찌 이리 복붙일수가...?!
-매번 활약하고 있는 Mr.월드컵 우승국 저주의 이번 행선지는 프랑스인데 정작 그들은 1차전을 잘해냈고 여전히 독일에 머물러있나?
-독일 아시아 국가에게 연속 패배한 월드컵 본선 역사상 최초의 팀

-독일을 침몰 시킨 일본의 득점자 두 명은 분데스리가에서 뛰고 있다.
(도안-프라이부르크, 아사노-보훔) ??: "아이고 호랑이들을 키웠네!!"
-경기 전 주장 완장 착용 관련해서 FIFA에 시위하고자 단체 사진 찍을 때 입틀막 퍼포먼스를 펼쳤는데 경기 결과가 입틀막이다. 그래서 결국 그 단체 사진은 그저 우스운 짤이 되어버렸다. 잘하고 이겨야 그런 것도 멋있어보이지.

22/11/23

알 투마마 스타디움, 도하

2022 카타르 월드컵 E조 1차전

스페인 7-0 코스타리카

-뚜껑을 까보니 명확히 드러난 탑티어 팀 "우린 독일과 달라"

-한국인이었으면 엊그제 수능 봤을 04년생 가비(18세 110일) 1958년 펠레 (17세 239일) 이후 최연소 득점자

-어게인 2014를 꿈꿨던 코스타리카 이번엔 그딴 건 없을 듯 :(

-불쌍한 COSTA RICA 슈팅 0개 불명예. 그냥 공 잡았을 때 하프라인에서라도 때려보지...

-가비, 페란 토레스 그리고 펠레 등 한 번에 세 명을 새로 그려넣느라 진땀... 그 중에서도 축구 황제 펠레를 8여년 동안 평소에 그리지 않았으니 누굴 탓하리.

22/11/23

아흐메드 빈 알리 스타디움, 알 라얀

2022 카타르 월드컵 F조 1차전

벨기에 1-0 캐나다

1986년 멕시코 월드컵때 처음 월드컵 본선에 모습을 드러냈던 캐나다 (당시 무득점으로 3전 전패) 36년만에 두번째 진출하여 비싼 벨기에 팀보다 예상 외로 훨씬 좋은 경기를 펼쳤지만 PK까지 놓치며 역적인 본선 첫 골도 놓치고 첫 승점마저 놓쳐 큰 아쉬움을 삼키다. 카타르-에콰도르 경기에 비할 바는 아니지만 팀으로 보나 선수 개개인으로 보나 경험의 차이로 승부가 갈렸다.

22/11/24

알 자눕 스타디움, 알 와크라

2022 카타르 월드컵 G조 1차전

스위스 1-0 카메룬

-카메룬에서 태어난 엠볼로 전 구단 국가 카메룬을 상대로 비수를 꽂는 결승골 이 무슨 운명의 장난?

-카메룬 2002 조별리그 2차전에서 사우디에 1-0 승리를 마지막으로 20년에 걸쳐 띄엄띄엄 월드컵에 출석했을 때만 모아놓고 보니 본선 8연패... 이 또한 진기록.

22/11/24

에듀케이션 스타디움, 알 라얀

2022 카타르 월드컵 H조 1차전

우루과이 0-0 대한민국

-해외에서도 흥미롭다고 화제였던 선발 5명의 김 라인(승규-문환-민재-영권-진수) 김벽으로 훌륭하게 마무리.

심지어 다른 포지션에는 김씨가 없었기 때문에 사실 20년 넘게 국대 축구를 봐온 나도 이런 진귀한 광경은 처음 보았다.

-발베르데 막판에 이기고 있지도 않고 딱히 결정적인 상황도 아닌 와중에 포효. MVP 받을거 알았나?

22/11/24

라스 아부 아부드 스타디움, 도하

2022 카타르 월드컵 H조 1차전

포르투갈 3-2 가나

-호날두 5대회 연속 출전에 이어 첫 경기부터 5대회 연속 득점까지 성공.

-호날두가 직전에 맨유에서 쫓겨난 건 축구팬들은 다들 알고 있었지만 알고 봐도 시선 강탈하게 만든 방송자막 'MUSOSOK'! 현재 전세계 백수 중 최고의 플레이어임에는 의심의 여지가 없다.

-늦은 시간 가나의 만회골을 넣는 부카리 선수는 그 와중에 호날두가 벤치에서 보는 앞에서 호우 세레머니

22/11/24

루사일 아이코닉 스타디움, 루사일

2022 카타르 월드컵 G조 1차전

브라질 2-0 세르비아

-히샤를리송의 그 골은 현 시점 이번 월드컵 최고의 골

-세르비아는 이번에 새로 바뀐 데칼코마니 형태의 엠블럼마냥 지난 2018년 대회때와 같은 브라질전 스코어를 보고 있다 (당시 파울리뉴, 티아구 실바 득점) 하지만 상대가 브라질이어서 그럴 뿐 탄탄한 스쿼드로 이번에는 저번 대회 때보다 기대를 받는 팀 중 하나다 다른 팀 상대로는 과연...

22/11/25
아흐메드 빈 알리, 알 라얀
2022 카타르 월드컵 B조 2차전
웨일즈 0-2 이란

-2차전 첫 경기 시작하자마자 처음 나온 이번 대회 1호 퇴장 웨인 헤네시 웨일즈 골키퍼. 원래 경고였으나 VAR에 의하여 퇴장으로 번복.

-집념이 만들어낸 아시아 팀의 승리

-쐐기골에 기쁜 나머지 아버지 뻘 이상 되는 감독에게 목 조르기 + 볼 꼬집기 시전하는 아즈문....?! 한국인의 입장에서 보면 헉?! 할 행동

22/11/25
알 투마마 스타디움, 도하
2022 카타르 월드컵 A조 2차전
카타르 1-3 세네갈

-니들은 3D로 보고 계십니다 D로 시작하는 세네갈 선수 세 명한테 실점하고 또 질 거라는 것을.
-하지만 그런 와중에도 터진 카타르의 역사적인 첫 월드컵 본선 득점! 21세기 아시아 국가 팀 한정하여 이로써 적어도 2002년 3경기 0골에 빛나는 중국은 이겼다.
-개최국의 2전 전패 졸전으로 재평가되는 2010 남아공 (1승 1무 1패 그것도 이긴 팀이 프랑스)

22/11/25
칼리파 인터내셔널 스타디움, 도하
2022 카타르 월드컵 A조 2차전
네덜란드 1-1 에콰도르

-개막 5일 만에 벌써 나왔다 뭔가 확정된 팀. 앞서 열린 같은 조 경기에서 패배한 카타르는 정확하게는 이 경기 결과로 인하여 100% 탈락이 확정됐다. 개최국의 조별리그 탈락은 2010 남아공에 이어 두번째지만, 개최 5일만에 광탈하는 건 앵간해서는 향후 한 세기를 넘어도 깨질까 말까 한 기록이 아닐까 예상해본다.

-개막전은 카타르가 못하는 거? vs 에콰도르가 잘하는 거? = 답은 둘 다
-에콰도르가 참가하고 있는 최근 두 대회 (2014, 2022)의 현 시점까지 모든 득점 6골은 전부 에네르 발렌시아의 몫.

22/11/25
알 바이트, 알 코르
2022 카타르 월드컵 B조 2차전
잉글랜드 0-0 미국

-1차전에서 보여준 잉글랜드의 풋볼은 집으로 잠자러 돌아갔나? 캡틴 아메리카의 싸커에 막히다.
-롱 드로잉 펼치려고 손의 땀 닦으려고 근처에 있던 장내 사진사의 옷을 대뜸 수건으로 이용한 미국 맥케니의 행동은 화면에 고스란히 잡혀 많은 논란 거리를 양산하였다. 할아버지에 가까운 사진사는 처음에 조금 놀라는듯 하다가 인자한 웃음을 지었다. "허허 고 녀석 가정교육..."

22/11/26
알 자눕 스타디움, 알 와크라
2022 카타르 월드컵 D조 2차전
튀니지 0-1 호주

-결승골의 주인공 매트 듀크 그의 어린 아들 잭슨을 향한 메세지 날려 (물론 실제로는 두 손가락을 이용하여 표현)

-유럽 빅리그 소속이었으면 그려줬을.

22/11/26
에듀케이션 시티 스타디움, 알 라얀
2022 카타르 월드컵 C조 2차전
폴란드 2-0 사우디 아라비아

-첫 경기때 메시 보유국을 이기고나서 분위기가 절정에 오른 사우디 팬들은 "Where is Messi"를 밈으로 사용하며 거기까진 그럴수 있다치지만 거기서 그쳤어야 했는데 레반도프스키와의 경기를 치르기 전부터 실제로 저런 피켓을 들고 다니는 것을 봤을 때부터 직감했는데 역시나...

-분데스리가와 챔피언스리그 등에서 수많은 득점을 올리고 우승의 맛을 볼 때도 보이지 않았던 레반도프스키의 감동의 눈물을 아시아 팀 상대로 추가골좀 넣었을 뿐인데 목격할 수 있었다. 역시 이것이 월드컵...!

132

22/11/26
라스 아부 아부드, 도하
2022 카타르 월드컵 D조 2차전
프랑스 2-1 덴마크

월드컵 전대회 우승국의 저주는 여기서 끝나나? 일단 프랑스가 보란듯이 조별리그를 통과를 가장 먼저 해내면서 깨버렸다. 음바페가 말도 안되게 강해서 저주가 안 먹히는 것 같기도... 물론 토너먼트를 어디까지 갈지 지켜봐야겠지만 말이다.

22/11/26
루사일 아이코닉 스타디움, 루사일
2022 카타르 월드컵 C조 2차전
아르헨티나 2-0 멕시코

메시! 첫 판에서 사우디에 패하며 위기에 빠졌던 아르헨을 위기에서 구출해내면서 월드컵 본선 8호골로 考마라도나와 동률을 이루었다. 이번 대회에서 득점은 넘을 수도 있겠지만 과연 월드컵 트로피 동률을 이뤄낼 수 있을지...?!
2006년부터 5대회째 출전 + 연속 득점을 호날두가 이번에 했듯이 메시도 해냈다고 자연스레 생각하기 쉽지만 아쉽게도 그건 아니다. 2010년에 8강까지 올라가고도 (사실 아르헨티나의 역사와 전력을 고려하면 8강도 썩 잘 한 건 아님) 그는 무득점에 그쳤었고 공교롭게도 당시 마라도나 감독의 지휘 아래에서...

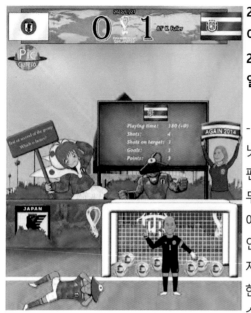

22/11/27
아흐메드 빈 알리 스타디움
2022 카타르 월드컵 E조 2차전
일본 0-1 코스타리카

-독일 이기고 조 1위가 낫냐 2위가 낫냐 시전하던 일부 일본 언론인지 팬인지 역시나... 첫 경기에서 제 아무리 스페인을 상대하더라도 0슈팅에 7실점한 코스타리카 상대로는 당연히 이길 수 있을거라고 생각했겠지만 역시나 설레발은 뭐다? 이 또한 사우디와 데자뷰 -4 슈팅, 1 유효슈팅, 득점 1, 실점 7 코스타리카가

2경기 치르고 승점 3점 얻는데는 유효슈팅 1개면 충분했다.
그러니까 골문 안으로 쏘기만 하면 100% 다 들어가는 말이 2차전까진 유효.

22/11/27
알 투마마 스타디움, 도하
2022 카타르 월드컵 F조 2차전
벨기에 0-2 모로코

-개인적으로 두 팀 간의 전력 차가 그다지 크다고 생각하진 않기에 대이변이라는 언론 보도는 동의할 수 없다. 모로코도 알짜배기 선수들이 많기에. 벨기에 대표팀 주축들이 이제 30을 넘은 와중에 현재는 조별리그 탈락 가능성이 충분히 남아있다 과연...?

-모로코 대표팀은 이 경기에서 불 타올랐다. 모로코 팬들도 불 타올랐다. 그리고 브뤼셀(벨기에)은 진짜로 불 타올랐다. 이런 저급한 뉴스는 좀 안 봤으면

22/11/27
칼리파 인터내셔널 스타디움, 도하
2022 카타르 월드컵 F조 2차전
크로아티아 4-1 캐나다

-크로아티아는 첫 경기 때 뭐하는건 가 싶었지만 그래도 자신들이 왜 지 난 2018 월드컵 결승에 오른 팀인지 보여주었다.
-경기 시작 67초만에 캐나다의 36년 만의 역사적인 본선 첫 골이 팀의 에 이스 알폰소 데이비스에 의해 터지 는 환희를 맛봤지만 전력 차이를 극 복하지 못하고 완패를 당하며 조기

탈락이 확정되고 말았다. 하지만 이 시점까지 다른 조기 탈락팀(개최국)과 달리 미래가 기대되는 팀이며 차기 월드컵 공동 개최국으로써도 기대가 된다.

22/11/27
알 바이트 스타디움, 알 코르
2022 카타르 월드컵 E조 2차전
스페인 1-1 독일

-무적함대 vs 전차군단 액면가만 보 면 조별리그 통틀어 최고의 빅매치. 하지만 각각 첫 경기를 보면 내용도 결과도 극명하게 대조적이었으므로 스페인의 승리 예상이 지배적이었는 데 뚜껑을 까보니 또 그렇지 않았다. 여기서도 또 적용 시킬 수 있다. "이 것이 축구고 이것이 월드컵이다"

-"독일의 9번이 구해냈다 근데 쟤는 누구...?" 현 브레멘 소속으로 분데스리가 팬 아니면 보편적으로 알기 어려운 선수가 월드컵 우승 4회에 빛나는 독일의 9번을 달고 있다.

135

22/11/28
알 자눕 스타디움, 알 와크라
2022 카타르 월드컵 G조 2차전
카메룬 3-3 세르비아

-카메룬 마침내 8연패 끊어냈다. 2002년 사우디전 승리 이후 20년만에 승점 획득!

-탄탄한 스쿼드로 애초 기대치가 높았던 세르비아는 위기.

22/11/28
에듀케이션 시티 스타디움, 알 라얀
2022 카타르 월드컵 H조 2차전
대한민국 2-3 가나

-조규성 대한민국 월드컵 역사 상 최초의 한 경기 멀티골 득점자! 하지만 기쁨은 거기까지...

-잉글랜드 프리미어리그에서도 악명 높은 앤서니 테일러 주심이 결국 사고 쳤는데 하필 그 찝찝함이 우리에게 남고 말았다... 우리 벤투 감독은 여지껏 최초이자 유일한 감독 퇴장

자가 되고 말았으며 음 더 이상 길게 서술했다간 심의 불가(?)가 될수도 있으니 할많하않...

22/11/28
라스 압두 아부드, 도하
2022 카타르 월드컵 G조 2차전
브라질 1-0 스위스

-삼바군단 스위스의 강력한 방패를
뚫고 신승을 거두며 16강 확정. 그러
나 네이마르의 부상으로 인한 부재
는 어느 정도 영향을 끼친 듯.

22/11/28
루사일 아이코닉 스타디움, 루사일
2022 카타르 월드컵 H조 2차전
포르투갈 2-0 우루과이

-포르투갈 16강 확정, 우루과이 위기.

-호날두 유벤투스에 있을때 잠시 했
던 사과 머리를 지금도 하고 있었다
면 자신의 득점이었을 듯?

-앞면에는 우크라이나를 위한, 뒷면
에는 이란 여성들을 위한 문구를 담
은 티셔츠를 입은 난입 관중은 중계
화면에는 잡히지 않았지만 경기 후에 화제가 안 될래야 안 될수가...

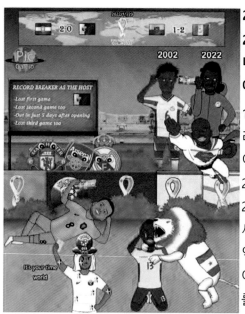

22/11/29

2022 카타르 월드컵 A조 3차전
네덜란드 2-0 카타르
에콰도르 1-2 세네갈

1.네덜란드: 아주 편안한 승리. 조별 리그 3연속 득점을 한 신성 각포는 이미 빅클럽들의 문의 쇄도 중.

2.세네갈: 알리우 씨세 감독은 지난 2002 한일 월드컵에 처녀 출전했던 세네갈 대표팀의 주장으로 16강의 역사(8강까지 오름)에 이어서 20년 이 지난 지금 감독으로써 16강 신화 를 또 다시 이뤄내는 스토리를 썼다.

3.에콰도르: 인상적이었지만 승부의 세계는 어쩔수가 없다...

4.카타르: ...'회식자리 만들어주고 결제해주고 떠나는 회장' 이렇게 온갖 오명과 첫 경험을 바꿔 먹었다.

22/11/29

2022 카타르 월드컵 B조 3차전
이란 0-1 미국/ 웨일즈 0-3 잉글랜드

1.잉글랜드: 미국전 빼고는 각자 몸 값에 걸맞는 풋볼을 보여주며 그래 도 예상대로 당당히 조 1위를 차지.

2.미국: 퓰리식의 결승골은 자신의 충돌 부상 희생과 맞바꿔 조국을 16 강으로 보낸 셈이 되었다.

3.이란: 미국의 짠물 싸커에 당하면 서 16강에 실패하고 말았다. 첫 경기 에서 단체로 국가 노쇼 시위를 펼쳤 던 선수들의 안전 귀가를 기원.

4.웨일즈: 64년을 기다려온 '베일즈' 였지만 1승조차도 거두지 못하며 생각보다 실망스럽게 막을 내리고 말았다. 그래도 긱스는 하지 못한 것을 베일은 해봤다.

22/11/30

2022 카타르 월드컵 D조 3차전

호주 1-0 덴마크/ 튀니지 1-0 프랑스

1.프랑스: 전 대회 우승팀의 저주를 깼다. 3차전은 100% 2군을 내보냈는데 간절하고 절박한 튀니지 1군은 당해내지 못했다.

2.호주: 2006 월드컵때 16강을 처음 이뤄낸 싸커루는 당시 챔피언이 됐던 이탈리아를 만나 탈락한 이후 16년만에 다시 이뤄냈다 이탈리아보다 월드컵 16강에 먼저 돌아왔다!

3.튀니지: 2018 한국과 거의 같은 상황. 디펜딩 챔피언을 꺾고 명예로운 퇴장.
4.덴마크: 뚜껑을 열어보니 이번 대회에서 손꼽히는 실망스러운 팀 중 하나.

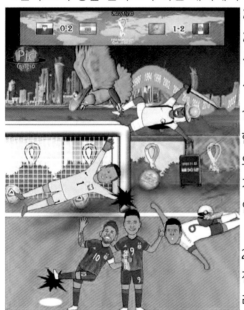

22/11/30

2022 카타르 월드컵 C조 3차전

폴란드 0-2 아르헨티나

사우디 아라비아 1-2 멕시코

1.아르헨티나: 첫 경기 사우디에게 당한 충격패가 결국 약이 된 듯? 메시의 PK골은 무산됐지만 도저히 이기기 싫어도 이길 수 밖에 없는 일방적인 내용으로 승리.

2.폴란드: 시종일관 '존버' 작전을 시전하고 36년만에 16강 진출에 성공. 레비의 마지막 월드컵 무대는 연장.

3. 멕시코: 1986 자국 월드컵 때부터 이어진 8연속 16강 진출 DNA 마침내 끝.
4.사우디 아라비아: 결국에는 꼴찌로 끝하지만 얻어 맞기만 하던 여느 때와는 달랐으며 평생 추억 거리 하나를 건지며 명예롭게 퇴장한다.

22/12/1
2022 카타르 월드컵 F조 3차전
캐나다 1-2 모로코
크로아티아 0-0 벨기에

1.모로코: 36년만에 16강 진출을 그것도 조 1위로 이뤄냈다. 근데 초상집이 된 벨기에에서 설마 또 폭동...?

2.크로아티아: 어쩌면 루카쿠의 대활약 덕에 올라갔다고 볼 수도?

3.벨기에: 2018 루카쿠 vs 1994 황선홍...? 많이 안타깝다. 그리고 이 황금세대의 6년을 이끌어온 마르티네즈 감독은 결국 직후에 사임했다.

4.캐나다: 3전 3패임에도 박수 받을 수 있는 팀이다. 다음 월드컵 때 봅시다.

22/12/01
2022 카타르 월드컵 E조 3차전
일본 2-1 스페인
코스타리카 2-4 독일

1.일본: 사우디는 한 번 놀라게 했다면 일본은 두 번 놀라게 했다.

2. 스페인: 16강에서 모로코냐 크로아티아냐의 차이였는지라 아시아 팀에게 졌다는 기록 생성한 것 말고는 별 타격은 없는 듯 하다.

3.독일: 이번엔 일본의 나노미터골에 의해 죽었다. 월드컵 저주신이 프랑스로 안 건너가고 머물러있었다.

4.코스타리카: 0-7 첫 경기를 봤을 때는 어떠한 꿈도 희망도 없어보였는데 마지막 경기까지 16강을 꿈꿔 볼 수 있는 상황이었고 실제로 잠깐이라도 스/독을 동반 탈락시키는 상황까지 갔었다. 전세계를 잠시동안 미치게 해준 공에 감사.

22/12/2

2022 카타르 월드컵 H조 3차전

대한민국 2-1 포르투갈

가나 0-2 우루과이

1.포르투갈: 3년전 국내 노쇼 사건으로 인해 날강두로 고속 강등 당했던 그가 다시 우리형, 한반두로 승격!

2.대한민국: 20년전 한국에게 패배하며 씁쓸히 탈락했던 일원인 벤투 감독이 정말 기가 막힌 원윈 해피엔딩 스토리 를 써냈다. 9%의 확률을 뚫어낸 기적과 추억 거리 득!

3.우루과이: 12년 전 가나를 피눈물 흘리게 만든 수아레즈. 사실 그의 인터뷰는 틀린 말은 하나 없지만. 'Karma is a bitch' 는 언제나 상시 적용 가능.

4.가나: 지면서 탈락하고도 기뻐하는 팀이 있다...? 그들은 정말 진심이었다!

22/12/2

2022 카타르 월드컵 G조 3차전

카메룬 1-0 브라질

세르비아 2-3 스위스

1.브라질: 그들마저 3전 전승에 실패하며 1994 미국 월드컵 이후 처음으로 조별 리그에서 아무도 3전 전승을 하지 못한 대회가 되었다.

2.스위스: 지난 2018 대회 때처럼 브라질한테는 지고 세르비아한테는 이기며 조 2위. 여전히 에이스인 샤키리는 3대회 연속 득점을 기록한 자국 최초의 선수가 되었다..

3.카메룬: 상대가 아무리 B군이라지만 설마 브라질을 상대로 본인들의 20년만의 월드컵 본선 승리를 챙겼다. 결승골 주인공 아부바카르는 명예로운 퇴장.

4.세르비아: 2018 때보다도 더 못했으며 이번에 가장 실망스러운 팀 중 하나.

16강

A1 네덜란드-미국 B2

C1 아르헨티나-호주 D2

D1 프랑스-폴란드 C2

B1 잉글랜드-세네갈 A2

E1 일본-크로아티아 F2

G1 브라질-대한민국 H2

F1 모로코-스페인 E2

H1 포르투갈-스위스 G2

유럽 8/ 남미 2/ 북중미 1/ 아프리카 2/ 아시아 3

22/12/3
칼리파 인터내셔널 스타디움, 도하
2022 카타르 월드컵 16강
네덜란드 3-1 미국

조별리그 끝나자마자 하루의 텀도 없이 바로 진행되는 16강전. 조별리그에서 무패 1위를 하고도 예전 반 페르시, 로벤, 스네이더 시절과 비교돼서 그런지 몰라도 경기력에 있어서 썩 좋은 소리를 못 들었었다. 그래도 토너먼트에 들어서자마자 아메리칸 싸커를 집으로 돌려보내며 오렌지 군단의 기본 명성은 보여주고 있다. 가장 먼저 8강에 안착.

22/12/3
아흐메드 빈 알리 스타디움, 알 라얀
2022 카타르 월드컵 16강
아르헨티나 2-1 호주

메시 본인의 커리어 통산 1000번째 월드컵 통산 9호 골로 마라도나를 넘어섰고 그와 동시에 토너먼트에서 첫 득점을 필드골로 멋지게 뽑아낸 기념비적인 경기가 되었다. 나름 잘 버티고 잘 싸우고 있던 호주는 주장 매튜 라이언 골키퍼(내가 유일하게 가지고 있던 호주의 이번 월드컵 스쿼드 내 선수)의 실책으로 아르헨티나의 신성 훌리안 알바레즈에게 추가골을 그냥 내주며 무너지는듯...? 했지만 그래도 만회골을 뽑아내며 끝까지 메시 보유국에게 덤벼볼만한 '졌잘싸' 스코어로 이번까진 없이 마무리.

22/12/4
알 투마마 스타디움, 도하
2022 카타르 월드컵 16강
프랑스 3-1 폴란드

지루 A매치 52호골로 프랑스 역대 A매치 최다득점자이던 앙리를 넘어섰고, 멀티골을 뽑아낸 음바페는 월드컵 통산 9호골로 이 부문에서는 이미 앙리를 넘어서고도 격차를 더 벌렸다. 참고로 그는 아직 23살... 레반도프스키는 두번째이자 마지막이 될 월드컵에서 마지막 경기가 될 마지막 순간에 PK로 득점을 성공시키며 보기 좋게 마무리하였다.

22/12/4
알 바이트 스타디움, 알 코르
2022 카타르 월드컵 16강
잉글랜드 3-0 세네갈

사자들의 대결이었는데 삼사자 군단의 손쉬운 승리로 마무리되었다. 지난 2018 월드컵에서 '역대급으로 임팩트가 없는 득점왕' 이라는 수식어를 달게 된 케인이 이번 대회 첫 골을 뽑아냈다. 16강 두번째 날까지도 조별리그때와는 달리 이변없이 이길 만한 팀들이 이기자 브라질과의 16강을 앞두고 이 때부터 이미 나는 마음을 굳게 먹었다. "아 참사만 당하지 말자..."

22/12/5
알 자눕 스타디움, 알 와크라
2022 카타르 월드컵 16강
일본 1-1 (pk 1-3) 크로아티아

이 경기는 가장 격차가 크지 않은 16강 맞대결이었다. 지난 2018 대회 때 16강부터 4강까지 연달아 연장전 만으로 승부를 봤 던 크로아티아식 늦축구가 또 귀신같이 발동을 하며 승부차기에서 확실하게 승부를 갈랐다. 일본이 다른건 잘해도 승부차기 에서 만큼은 준비가 덜 된 모습이었으며 사요나라 하고 말았다. 이번에도 '클린'한 화제를 남긴 일본 대표팀을 카타르 현지 청소원들이 매우 그리워 할 것이다. 곧 아시안컵에서 또 만나겠지만...?

22/12/5
라스 아부 아부드 스타디움, 도하
2022 카타르 월드컵 16강
브라질 4-1 대한민국

우리 대한민국에게 애초에 이 경기는 보너스였다. 한 경기 더 설렘을 가지고 즐겨볼 수 있게 되었으니...! 물론 전반전 만에 일말의 꿈은 산산조각 났지만 그래도 후반전은 백승호의 멋진 골 한 방으로 이겼지 않은가?! 그래도 "아 왜 하필 브라질인가" 라는 생각은 지울 수가 없었다. 0-7 이런 대참사가 나는거 아닌가 하프 타임 때 걱정됐지만 오히려 격차를 줄인 채 끝났음에 박수를 보내고 싶다. 수고했다 장하다 대한민국~!

145

22/12/6
에듀케이션 시티 스타디움, 알 라얀
2022 카타르 월드컵 16강
모로코 0-0 (pk 3-0) 스페인

엔리케 감독이 페널티킥 연습 각자 1000번씩 해오라고 숙제 던져줬는데 해온 사람...? 본인들이 설마 모로코와 승부차기까지 갈 줄 몰랐던 것일까... 스페인 세비야에서 활약 중인 모로코 골키퍼 야신 부누(닉네임이자 마킹이 보노)의 엄청난 활약도 있었지만 스페인은 이로써 2002 대한민국, 2018 러시아에 이어서 승부차기를 갈 때마다 악몽을 지우지 못하고 있고 엔리케 감독은 사임했다. 16강에서 유일하게 이변이라면 이변.

22/12/6
루사일 아이코닉 스타디움, 루사일
2022 카타르 월드컵 16강
포르투갈 6-1 스위스

16강 마지막 경기였고 이번에도 이변 없이 흘러갔는데 포르투갈에게는 또 한 번 감사하다 대한민국이 16강전에서 가장 큰 스코어로 진 팀이 아니라서...! 호날두 대신 선발 출전한 벤피카 소속의 01년생 곤살루 하무스가 이번 대회 최초 해트트릭 주인공이 되었는데 카메라 세례는 대부분의 시간을 벤치에서 보낸 호날두가 더 많이 받은 느낌이 있다. 국가 연주 할 때 필드 위가 아니라 벤치에 있는 선수에게 그렇게 많은 카메라맨들이 몰리는 광경은 또 처음 봤다.

8강

네덜란드-아르헨티나
크로아티아-브라질
프랑스-잉글랜드
모로코-포르투갈

유럽 5
남미 2
아프리카 1

22/12/9
에듀케이션 시티 스타디움, 알 라얀
2022 카타르 월드컵 8강
크로아티아 1-1 (pk 4-2) 브라질

지난 2018 월드컵부터 연장전만 끌고 갔다하면 무조건 이기는 달리치 감독의 늪축구가 설마 브라질까지 집어 삼킬 줄은?! 이로써 한국전에서 온갖 여유를 부리던 삼바 군단은 투병 중인 펠레에게 월드컵 트로피 바치기는 실패했고 지난 한국전이 그들의 '라스트 댄스'가 되었다 말 그대로... 이제 춤은 집에 가서 춰야.

4년전 당시 32세의 나이로 연달아 120분 경기를 뛰며 심지어 잘 하기까지 하는 모드리치를 보고 경이롭다 싶었는데 5살을 더 먹은 현재는...?! 경배합니다.

22/12/9
루사일 아이코닉 스타디움, 루사일
2022 카타르 월드컵 8강
네덜란드 2-2 (pk 3-4) 아르헨티나

상대 선수의 심기를 건드리는 감독의 인터뷰, 그런 상대 감독을 향한 도발 세레머니나, 상대 벤치를 향해 고의적으로 날린 슈팅, 승부차기에서 키커로 나서는 선수를 향한 과도한 신경전 등등 +권위주의의 끝판왕 라호즈 주심까지 아주 가슴이 뜨거워지는 경기였다. 그 결과로 양 팀 합쳐 18장의 옐로 카드가 나왔다.

물론 그 요소들을 제외해도 명승부. 메시는 월드컵 10호골로 자국 선배인 바티스투타와 동률을 이뤄내면서 이제 4강에 안착한다.

22/12/10
알 투마마 스타디움, 도하
2022 카타르 월드컵 8강
모로코 1-0 포르투갈

이번 대회 돌풍의 팀 모로코는 월드컵 4강 신화를 결국 썼다. 아프리카 대륙, 아랍 종교 어느 모로 묶어봐도 그들의 자랑거리가 되기에 충분하다. 조별리그부터 토너먼트까지 5경기 1실점이라는 그들의 이 엽기적인 수비력으로 호날두까지 집으로 돌려보냈다. 토너먼트부터는 벤치 스타트 하더니 결국 조국의 탈락을 막지 못함과 동시에 월드컵 트로피 한 번 들어올리지 못한 채 그의 5번째 대회까지 이렇게 눈물을 훔친 채 막을 내리고 말았다.

22/12/10
알 바이트 스타디움, 알 코르
2022 카타르 월드컵 8강
잉글랜드 1-2 프랑스

"It's coming home" 잉글랜드 팬들이 항상 내걸고 있는 슬로건인데 최근 2개의 메이저 대회들에 비하면 이번에는 조금 일찍 집으로 돌아갔다. 하필 평소에 페널티킥 실축이라고는 좀처럼 보기 힘들었던 케인의 런던까지 갈 만한 '케쏘공'이 연출되며 탈락한 것은 많이 뼈아팠다. 한편 소속팀 동료 요리스 골키퍼는 이날 자국 대표팀 역사상 A매치 단독 최다 출전 기록을 세우는 의미 있는 날이었다. 프랑스는 월드컵에서 연속 4강행 그리고 연속 우승을 꿈꿔본다.

4강

아르헨티나-크로아티아
프랑스-모로코

유럽 2
남미 1
아프리카 1

22/12/13
루사일 아이코닉 스타디움, 루사일
2022 카타르 월드컵 4강
아르헨티나 3-0 크로아티아

과거에 아구에로, 이과인, 테베즈 등등 개인 명성이 뛰어났던 아르헨 공격수들이 많았지만 다들 메시의 파트너로써는 낙제점이었고 이제서야 드디어 제대로 된 파트너를 찾은 듯. 신성이자 맨시티 후보인 훌리안 알바레즈...! 지금까지 7개의 발롱도르를 받았던 메시인데 다 필요없고 월드컵 트로피 하나랑 바꾸고 싶을 것이다. 모드리치는 2연속 결승을 노렸지만 그것에 실패했다 하더라도 누가 그를 패자라고 할 수 있겠는가?! 37세의 그에게 그저 경의를 표한다.

22/12/14
알 바이트 스타디움, 알 코르
2022 카타르 월드컵 4강
프랑스 2-0 모로코

모로코의 돌풍이 어디까지 갈까 싶었지만 이른 시간에 선제골을 내주면서 당황한듯 보였고 결국 프랑스라는 거대한 산을 넘지 못했지만 모로코 선수단은 충분히 리스펙트 받을만하고 반대로 팬 이라는 이름을 달고 있는 유럽 여러 나라에 퍼져있으면서 집단 광기를 부리는 이주민들은 그렇지 못하다 할많하않... 프랑스는 2연속 월드컵 우승을 노려보게 되었다.

151

22/12/17
칼리파 인터내셔널 스타디움, 도하
2022 카타르 월드컵 3/4위전
모로코 2-1 크로아티아

1998년부터 지금까지 6번째 월드컵 출전. 그 중 세 번은 조별리그 탈락, 세 번은 4강 즉 출전만 했다하면 쪽박 아니면 대박 터뜨리는 크로아티아. 특히 살아있는 전설 모드리치와 달리치 감독이 이끄는 크로아티아의 2회 연속 4강에 대해 축하의 말을 건네고 싶다. 지난 번에는 준우승을 차지하며 다들 어두운 분위기로 마무리했는데 이번엔 다들 행복하게 마무리하는거 보면 매번 어느 대회의 3/4위전이나 결승전을 볼 때마다 아 이러니하면서도 충분히 공감이 간다. 분명 2위가 3위보다 좋은 성적이지만 다른 말로 하면 최고의 자리를 놓친 허탈함과 어차피 못 간 결승 따윈 체념하고 난 뒤의 해피 엔딩의 차이가 아닌가 싶다.

이번에 4위를 차지하게 된 팀은 비유럽/남미 팀 역사 상 두 번째로 4강에 올랐던 모로코가 됐는데 경기장 내 자체 휘슬 그리고 유럽 각국 에서 '팬'이라는 이름으로 광기를 부리는 인간들은 말고 오로지 대표팀 선수단에게만 박수를 보내주고 싶다.

2022 카타르 월드컵 3위
크로아티아

22/12/18
루사일 아이코닉 스타디움, 루사일
2022 카타르 월드컵 결승전
아르헨티나 - 프랑스

통산 세번째 우승을 노리는 양 팀. 같은 두번의 우승 기록이 있지만 아르헨티나는 1978, 1986년 그리고 프랑스는 1998년, 2018년으로 비교적 최근이다. 메시의 화룡점정 대관식이냐 연속 우승으로 음바페의 황제 등극이냐로 타이틀이 걸렸다.

아르헨티나 3-3 (pk 4-2) 프랑스

80분 전까지 메시의 아르헨티나가 무난히 이기는 줄 알았더니 이게 뭐지? 연장 가서 결국 이기나 싶었더니 이게 뭐지? 심지어 120분에 프랑스가 미친 역전승을 할 뻔도 했다. 어쩌다 1:1 찬스가 된 무아니의 슛이 에밀리아노 마르티네즈에게 막히지 않았더라면?! 승부차기 가서 결국 아르헨티나가 36년만의 통산 3번째 월드컵 트로피를 거머쥐게 됐는데 역사상 정말 이런 결승전이 있었을까 싶다. 적어도 내 생전인 90년대 월드컵부터 따지면 감히 '역대급' 결승전이라는 말을 써도 모자람이 없다.

프랑스 2022 월드컵 준우승

연속 우승 실패 하지만 최근 7번의 대회에서 4번의 결승 중 반타작... 이 얼마나 위대한 기록인가 승부차기는 엄연히 패배도 아닐 뿐더러 누가 그들에게 패자라고 할 수 있겠는가. 음바페를 비롯한 레블뢰 군단이 있었기에 역대급 결승전이 연출될 수가 있었다. 디펜딩 챔피언으로써 메시의 마지막 관문을 가로막는 '최종 보스' '악당' 느낌으로 경기 전부터 조명이 됐었다. 이번 대회 시작부터 디펜딩 챔피언의 저주를 깨고 연달아 결승까지 다시 올라 멋진 경기들 보여준 레블뢰 군단에게도 박수를 보낸다. 그리고...

아르헨티나 2022 월드컵 우승

36년만의 통산 세번째 우승! 마라도나가 하늘로 떠난 후 맞이하는 첫 월드컵. 메시가 그토록 원하던 월드컵을 들어올리면서 자신의 라스트 댄스였던 이번 대회를 환하고 화려하게 마무리하며 커리어에 화룡점정을 찍었다. 에밀리아노 마르티네즈의 기괴한 세레머니는 차마 못 그리겠다. 영 플레이어 수상은 엔소 페르난데스, 그리고 메시의 동년배 디 마리아도 마침내 보상을 받았다. 새로운 월드 챔피언 아르헨에게 축하의 인사를...!

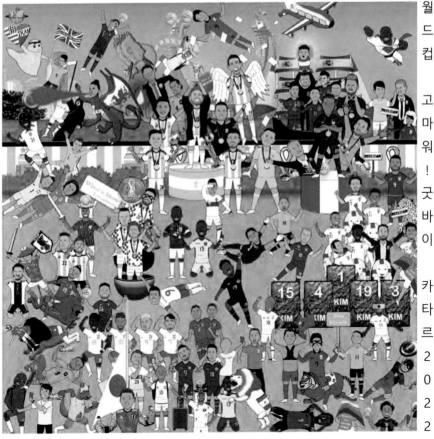

월드컵 고마워! 굿바이 카타르 2022

월드컵의 여운이 식기도 전에 일주일만에 돌아온 유럽 축구. 정확히는 가장 빠르게 돌아온 프리미어리그... 아니 올해는 일정이 이런 와중에도 박싱데이를 강행한다고? 싶지만 어쩌겠나 그 일정에 맞춰야지...

22/12/26
브렌트포드 커뮤니티 스타디움
22/23 프리미어리그 17R
브렌트포드 2-2 토트넘

주요 클럽 중 가장 빠르게 돌아온 토트넘 경기. 월드컵 이후 복귀식 느낌의 경기라 한국에서의 시간대(21:30)도 워낙 좋아서 전세계적으로 시청률이 높을 것으로 예상됐던 경기. 하지만 토트넘은 월드 챔피언 로메로(아르헨티나)를 포함한 월드컵 파이널 리스트 요리스(프랑스)까지 두 명이나 데리고 있는 팀이 되었는데 그 둘이 없으니까 못 이긴거겠지...?

22/12/26
빌라 파크, 버밍엄
22/23 프리미어리그 17R
아스톤 빌라 1-3 리버풀

월드컵 우승러에서 이번엔 준우승러가 된 골키퍼 요리스가 토트넘에 있다면 이번 월드컵 우승러 골키퍼는 여기 아스톤 빌라에 있다. 월드 챔피언인 그가 없어서 3골이나 먹히며 졌을 것이다. 못 나가는 월드컵 기간 동안 갈고 닦았을 살라의 선제골을 필두로 리버풀이 승점 3점을 따냈다.

22/12/26
에미레이츠 스타디움, 런던
22/23 프리미어리그 17R
아스날 3-1 웨스트햄

프리미어리그 1위팀의 경기가 돌아
왔다. 전반전을 지면서 살짝 위기가
찾아왔지만 공격 3인방이 모두 득점
을 해내며 역전하면서 선두자리를
여전히 굳건히 지킬 수 있게 되었다.

22/12/27
스탬포드 브릿지, 런던
22/23 프리미어리그 17R
첼시 2-0 본머스

월드컵 브레이크 전까지 3연패의 수
렁에 빠져있던 첼시였는데 비교적
쉬운 상대인 본머스를 상대로 드디
어 일단 빠져나왔다. 과연 반등해낼
수 있을지...?

22/12/27
올드 트래포드, 맨체스터
22/23 프리미어리그 17R
맨유 3-0 노팅엄 포레스트

돌아온 맨유는 강등권에 위치한 노팅엄 포레스트를 상대로 완승을 거두며 이번에 실족한 4위 토트넘에 1점 차로 따라 붙었다. 챔피언스리그 진출권 희망은 계속.

22/12/28
엘란드 로드, 리즈
22/23 프리미어리그 17R
리즈 1-3 맨시티

월드컵 기간동안 얼마나 근질근질했을까... 골 넣고 싶어서. 골 징계(?)에서 드디어 풀려난 홀란드가 보란 듯이 자신의 업무를 하였다. 지난 한달 반 동안은 잊혀진 선수가 될 법한 자신을 바로 리마인드 시키는 활약을 펼치며 선두 아스날 추격은 이어진다. 홀란드 아니었으면 발야구 선수급 활약을 한 그릴리쉬는 가루가 되도록 비난 비판을 받았을 듯 하다.

22/12/29

펠레 별세

월드컵 3회 우승에 빛나는 축구황제 펠레
하다는 소식은 월드컵 기간에도 있었지
내지 못하고 세상을 떠났다.
향년 82세.
Rest in peace.

"언젠가 하늘에서 함께 축구하자"

2년전 마라도나가 떠났을 때 펠레가
한 말이다. 펠레가 마라도나보다 20
살이 더 많지만 그래도 이것이 이렇
게 빨리 이루어질줄은… 두 사람 모
두 하늘에서 함께 행복하길.

22/12/30
안필드, 리버풀
22/23 프리미어리그 18R
리버풀 2-1 레스터

득점한 리버풀 선수가 없는데 팀은 멀티 득점으로 승리? 이런 식으로 승리가 가능한 일이었다 그것도 한 선수의 멀티 자책골이라니... 처음에 다비드 루이즈인줄 알았던 본인도 그렇고 클롭의 전임 감독이었던 로저스는 어안이 벙벙할 것이다. 어쨌든 리버풀은 안필드에서 예능스러운 승리로 한 해를 마무리.

22/12/31
몰리뉴 스타디움, 울버햄튼
22/23 프리미어리그 18R
울버햄튼 0-1 맨유

한 해의 마지막 날은 누구에게나 그 자체로 의미가 있지만 맨유에게는 알렉스 퍼거슨 경의 생신으로 특별한 의미가 있다. 래쉬포드의 결승골로 승리를 거두며 이 뜻깊은 날을 좋게 마무리. 81번째 생신을 맞이한 퍼기 경 만수무강 하시길.

22/12/31
에티하드 스타디움, 맨체스터
22/23 프리미어리그 18R
맨시티 1-1 에버튼

약간 덜 푸른 심장도 가지고 있는 램파드가 감독 자리가 썩 안정적이지 못한 와중에 맨시티에게 고춧가루를 뿌렸다. 1위도 아닌 맨시티는 월드컵 브레이크 직전 마지막 경기에서 브렌트포드에게 발목 잡히며 갑분싸로 마무리했었는데, 한 해 마지막 경기도 그레이하게 마무리.

22/12/31
아멕스 스타디움, 브라이튼
22/23 프리미어리그 18R
브라이튼 2-4 아스날

외데고르 曰: "홀란아 득점 축하하고 한 해 수고했어 근데 우리 팀이 1등임" 그렇다 역시 팀이 중요하다. 오늘도 다양한 득점원으로 썩 만만치 않은 상대 브라이튼을 완파. 괴물같은 포스의 선수 하나 없어도 거의 절반 되는 시점에 7점차 선두를 달리며 2022년을 마무리하였다. 과연 새해에도 거너스가 원 팀으로써의 위용을 쭉 보여주며 챔피언 자리에 오를 수 있을지...?

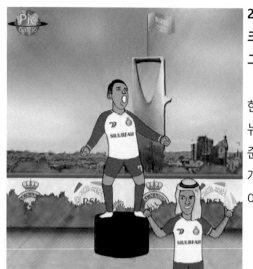

22/12/31
크리스티아누 호날두 알 나스르 입단
그리고 안녕 2022

한 해 마지막 날에 호날두가 아주 빅
뉴스를 가지고 오면서 밑에 이미 다
준비해놓았던 굿바이 2022 그림의
개체 구성을 편집하게끔 만들었다.
이렇게 2022년 한 해를 떠나 보낸다.

23/1/1
토트넘 핫스퍼 스타디움, 런던
22/23 프리미어리그 18R
토트넘 0-2 아스톤 빌라

"굿 이B닝 여러분 해피뉴이어!"
2023년의 첫 해외축구 메인 경기는
월드컵 결승러 골키퍼들의 맞대결
타이틀이 붙을 수도 있었지만 성사
되진 않았다. 이번에 최정상에 오른
에밀리아노 마르티네즈는 아직 벤치
휴식. 하지만 그러고도 그의 팀이 승
리를 거뒀다. 새해부터 배드 이브닝
을 맞이하는 콘트넘이다. 요리스의

입장에서는 직전 경기가 음바페를 필두로 한 월드 클래스 동료들과 함께 한 월
드컵 결승전이었다 뭐 그냥 그렇다는...

23/1/1
시티 그라운드, 노팅엄
22/23 프리미어리그 18R
노팅엄 포레스트 1-1 첼시

새해부터 허우적 거리며 시원찮은
첼시... 단지 오늘만의 문제는 아니라
겨울 이적 시장을 통한 수혈이 시급
해 보인다.

23/1/2
브렌트포드 커뮤니티 스타디움
22/23 프리미어리그 19R
브렌트포드 3-1 리버풀

좀 이겨서 분위기 타나 싶으면 또 진다. 빅 찬스 미스 1위에 등극한 다윈 누네즈. 2023년 새해 첫 경기를 안 좋게 시작한 리버풀... 이쯤 되면 사디오 마네가 과연 얼마나 그리울지.

23/1/3
에미레이츠 스타디움, 런던
22/23 프리미어리그 19R
아스날 0-0 뉴캐슬

리그 우승 vs 챔피언스리그 진출을 열망하는 두 팀의 맞대결이었으나 후자를 갈망하는 뉴캐슬이 더욱 단단했다. 아스날은 11경기 연속 무패이긴 하나 추격자가 맨시티이기에 불안할수 밖에.

23/1/3
올드 트래포드, 맨체스터
22/23 프리미어리그 19R
맨유 3-0 본머스

새해 첫 경기로 열린 올드 트래포드에서의 일전을 산뜻하게 시작한 맨유.반면 본머스는 지금까지 상대한 모든 빅6 팀에게 전패를 당하며 2득점 (토트넘에게만) 그리고 총 25실점. 그래 뭐 100골 먹혀도 강등만 안 당하면 되지.

23/1/4
아레키 스타디움, 살레르노
22/23 세리에A 16R
살레르니타나 1-2 밀란

돌아온 세리에A에 오초아가 있다! 4년에 한 번 보던 오초아를 강등 후 보팀이긴 해도 세리에A에서 이제 매주마다 접할 수 있게 되었다. 디펜딩 챔피언을 상대로 데뷔전을 치른 오초아인데 15분만에 두 골 실점하긴 했어도 전체 한 경기를 봤을 때 그의 활약상은 역시 이름값을 했다. 오초아가 과연 살레르니타나를 잔류로 이끌 수 있을지?

23/1/4
스타디오 올림피코, 로마
22/23 세리에A 16R
로마 1-0 볼로냐

경기는 캡틴 펠레그리니의 이른 PK 결승골로 무난히 승리. 故 미하일로비치는 1992~1994년 로마 선수, 그리고 2008~ 2009 & 2019~2022 볼로냐 감독으로 몸 담은 바 있다.

23/1/4
비아 델 마레, 레체
22/23 세리에A 16R
레체 2-1 라치오

라치오는 이른 시간 임모빌레가 선제골을 터뜨리며 올 해 출발이 좋나 싶었지만 결국 역전패로 이어지고 말았다. 이로써 라치오는 월드컵 브레이크전 유벤투스 전 완패에 이어서 2연패.

23/1/4
스타디오 죠반니 지니, 크레모나
22/23 세리에A 16R
크레모네세 0-1 유벤투스

아니 이건 뭐 크레모네세도 못 이기나? 싶었는데 후반 인저리 타임 터진 밀리크의 프리킥 선제 결승골로 간신히 승리를 가져갔다. 기대치에 비하여 잘해주고 있는 밀리크. 그러면서 유베는 '작년'이 된 월드컵 브레이크 이전 적립해놓은 6연속 클린시트 승리에 이어 +1 추가.

23/1/4
쥐세페 메아짜, 밀라노
22/23 세리에A 16R
인테르 1-0 나폴리

세리에A가 돌아오자마자 펼쳐지는 올 해 첫 빅매치! 시종일관 준비를 잘해온 인테르였는데 월드컵 브레이크 전까지 폼이 굉장히 좋았던 36살 제코가 이번에도 결승골의 주인공이 되었다. 시모네 인자기는 마침내 올 시즌 첫 빅매치 승리를 오히려 가장 어려워보이는 팀을 상대로 가져갔다. 반면 친정팀이자 친정 제자에게 비수를 꽂으며 한 해의 출발을 안 좋게 시작하게 된 스팔레티. 전반기에는 깜삐오네였다가 후반기에는 스빡으로 '강등'당하는 스팔레티가 또...? 라기엔 아직은 엄밀히 말하면 후반기 느낌나는 전반기일 뿐.

23/1/4
셀허스트 파크, 런던
22/23 프리미어리그 19R
크리스탈 팰리스 0-4 토트넘

팰리스만 만나면 유독 펄펄 나는 손흥민은 오늘도 과학이었다. 속 시원하게 마스크를 집어던지는 퍼포먼스에 이어 찰칵 세레머니.

23/1/5
스탬포드 브릿지, 런던
22/23 프리미어리그 19R
첼시 0-1 맨시티

팀 퀄리티도 그렇고 감독으로써도 펩이 포터보다는 한 수 위라는 것을 보여주었다. 60분 마레즈와 그릴리쉬를 교체 투입하자마자 단 3분만에 결승골을 합작하며 선두를 추격하는 데에 있어서 고비처가 될 수 있는 스탬포드 브릿지 원정을 잘 넘겼다. 첼시는 최근 8경기 1승.

23/1/6
올드 트래포드, 맨체스터
22/23 FA컵 64강
맨유 3-1 에버튼

텐 하흐가 원하던 코디 올드 트래포드를 지배하다! 코디 각포말고 코너 코디가 골과 자책골을... 아아 그는 이미 갔습니다 리버풀로. 아쉬움이 얼마나 있을진 모르겠지만 이제 강팀들이 합류한 FA컵 64강에서 램파드의 에버튼을 탈락시키고 다음 라운드에 합류.

23/1/7
토트넘 핫스퍼 스타디움, 런던
22/23 FA컵 64강
토트넘 1-0 포츠머스

이제는 추억의 팀이 되어버린 현 3부 리그의 13위 팀 포츠머스를 상대로 토트넘은 대단한 경기력과 케인의 한 골 폭발로 1-0으로 완파하고 다음 라운드에 합류하였다. 몰랐던 사이 그새 엠블럼도 바뀌었다 과연 저들을 1부리그에서 다시 볼 날이 언젠가 올지...?

지난 12월에 이탈리아 축구계에는 미하일로비치, 전세계 축구계에는 펠레의 별세가 있었는데 새해가 되고 1월 6일 이번에 이탈리아 축구계에 또 다른 비보가 전해졌다. 80~90년대 아주리 군단의 대표이자 크레모네세, 삼프도리아, 유벤투스 등에서 활약하며 근현대 들어서는 유로 2020 우승 당시 대표팀 어시스턴트로써 만치니 감독의 보조 역할을 했던 잔루카 비알리가 향년 58세의 나이로 췌장암으로 세상을 떠났다. 고인의 명복을 빕니다.

23/1/7
알리안츠 스타디움, 토리노
22/23 세리에A 17R
유벤투스 1-0 우디네세

유베의 최근 챔스 우승이기도 한 95/96 유럽 제패를 함께 했던 비알리를 추모하며 홈에서 열리는 올해 첫 경기를 무거운 마음으로 시작하게 되었다. 작은 얼룩말들을 간신히 제압하며 8연속 클린시트 승리.

23/1/7
스타디오 코무날레 브리안테오, 몬차
22/23 세리에A 17R
몬차 2-2 인테르

"아따 첫 (새해 원정) 판부터 장난질이냐...?" 인테르는 아체르비가 1-3으로 쐐기 득점을 하는 과정에서 주심은 갈리아르디니의 공격자 파울을 선언했는데 넘어진 몬차 선수는 상대가 아니라 동료 발에 걸려 넘어진 거라 누가 봐도 소위 '억까 판정'. 결국 버저비터를 얻어맞고 승점 -2점.

23/1/7
안필드, 리버풀
22/23 FA컵 64강
리버풀 2-2 울버햄튼

울브스의 세번째 골이 어째서 오프사이드로 취소인지 아는 사람? 2023년 안필드에서의 첫 경기였는데 이곳에서 좋은 기억이 있는 황희찬이 일단 득점도 했고 팀의 승리로 웃을 수 있어야 마땅한 경기 였으나, 저 논란이 될 만한 오프사이드 노 골 판정으로 인하여 못 이긴게 아쉽고 열받는 쪽은 울브스가 되었다. 반면 안필드에서 이기지 못하고 재경기로 넘어가는 리버풀인데 재경기를 갖게 된걸 행운으로 여겨야 할 판.

23/1/8
스타디오 올림피코, 로마
22/23 세리에A 17R
라치오 2-2 엠폴리

라치오의 클럽 레전드라고 할 수 있는 미하일로비치(1998~2004) 와 이탈리아인으로써 비알리를 추모. 그리고 구단에서 10년간 활약하며 레전드라고 할 수 있는 스테파노 마우리(2006~2016)가 경기 당일 생일을 맞이했고 (진짜로 참관했다는건 아니고 임의로 끼워넣음) 이틀 뒤 사리 감독의 생일. 그리고 무엇보다도 바로 다음 날은 라치오 구단의 123번째 창단기념일로 여러가지 의미를 담은 홈 경기를 승리로 가져갔어야 할텐데 뒷심 부족으로 다 망쳐버리고 말았다.

23/1/8
에티하드 스타디움, 맨체스터
22/23 FA컵 64강
맨시티 4-0 첼시

1996~1999 첼시 선수로 뛰었던 비알리의 별세소식은 첼시에게도 큰 비보였다.

그리고 경기는... 첼시 입장에서도 64강을 치르는데 이 와중에 왜 하필 맨시티인가? 싶은 생각은 들겠지만 근데 아무리 부상자가 많아도...? 이 정도 스코어로 깨지는게 과연 옳은가?

23/1/8
루이지 페라리스, 제노바
22/23 세리에A 17R
삼프도리아 0-2 나폴리

최근에 진 이탈리아 축구계의 별 두 명이 모두 공통적으로 삼프도리아 출신인데다가 팀은 강등권, 그리고 때 아닌 겨울 비 속에 퇴장자까지 발생하며 하필 압도적인 1위 팀을 만나 완패. 모든 면에서 암담하고 무거운 하루였던 삼프도리아였다. 또한 스탄코비치는 미하일로비치와 생전에 국가대표와 구단 그리고 선수 대 선수, 선수 대 감독으로든 뗄래야 뗄 수 없는 관계였기도 하다. 새해 첫 경기를 리그 첫 패배로 시작했던 나폴리는 스쿠데토를 향한 여정을 다시 시작했다. 다만 확실한 페널티 키커(= Rigorista)는 좀 더 고민해봐야 할듯.

23/1/8
산 시로, 밀라노
22/23 세리에A 17R
밀란 2-2 로마

지난 라운드이자 산 시로의 새해 첫 경기도 인테르 vs 나폴리로 빅매치였는데 이번 라운드도 그렇다. 로마는 아까 라이벌 라치오가 당한것처럼 산 시로에서 똑같이 하면서 밀란의 새해 첫 홈경기에 찬 물을 끼얹었으며 무리뉴 감독이 "피올리 이즈 온 파이어"를 껐다.

23/1/8
완다 메트로폴리타노, 마드리드
22/23 라리가 16R
아틀레티코 마드리드 0-1 바르셀로나

경기는 뎀벨레의 결승골로 끝났는데 경기 막판 사비치와 페란 토레스의 헤드락 + 머리채 싸움으로 인한 양 퇴장은 전세계에 큰 웃음거리를 주었다. 사비치는 이 날 팀의 중요한 경기도 지고 쌈박질을 하면서 퇴장까지 당하고 어마어마한 32번째 생일을 맞이했다. (새로 그리고나서 보니 생일.

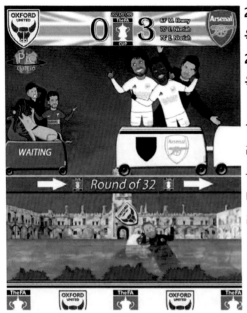

23/1/9
옥스포드 스포츠 파크, 옥스포드
22/23 FA컵 64강
옥스포드 0-3 아스날

1부 리그의 1위를 달리는 거너스는 리그 원 (3부 리그) 소속팀 옥스포드를 가볍게 떨구고 32강행 막차를 탔다. 이로써 빅6 중 첼시만 탈락하고, 리버풀은 대기.

23/1/10
쥐세페 메아짜, 밀라노
22/23 코파 이탈리아 16강
인테르 2-1 파르마

파르마는 한 때 파산 후 18-19 시즌 컴백했던 세리에A 에서 당시 임대생 신분의 디마르코의 개인 커리어 첫 골이자 결승골로 승리한 것을 데자뷰시키며 16강 첫 판부터 자이언트 킬링의 주인공이 될 뻔했다. 그리고 거의 20년 가까이 데르비 디탈리아의 수장으로 활약했던 44세 부폰의 활약으로 인하여 인테르가 심히

고전했지만 결국엔 선수 층의 클라스 차이를 보여주며 연장전에서 아체르비의 장거리 헤딩 결승골로 가장 먼저 8강에 진출하였다. 잠깐, 16강전에서 연장 후반에 부폰이 헤딩골을 허용하며 1-2로 진다...? 뭔가 익숙한 장면이다.

23/1/11
킹 파흐드 Int. 스타디움, 리야드
22/23 수페르코파 데 에스파냐 4강
레알 마드리드 1-1 발렌시아
승부차기 4-3

경기 전 레알은 전 선수이자 레전드
이면서 이 나라의 아이콘(?)이 된 호
날두와 재회하기도 했다. 스페인 라
리가의 팀들이 사우디의 땅에 와서
이탈리아 감독들의 맞대결이 펼쳐졌
다. 안첼로티와 가투소 밀란 사제 간
의 대결이었는데 예상 외로 팽팽한
승부 끝에 승부차기로 갈렸다. 발렌
시아 주장 호세 가야의 킥을 쿠르투아가 막아내며 끝나면서 결국엔 레알이 결
승에 진출하였다.

23/1/11
산 시로, 밀라노
22/23 코파 이탈리아 16강
밀란 0-1 토리노

어제에 이어 오늘도 산 시로에서 연
장전이 펼쳐졌다. 69분에 토리노 쪽
퇴장으로 밀란은 수적 우위를 점하
고도 득점을 뽑아내지 못했다. 연장
으로 간 와중에 놀랍게도 실점을 하
며 놀랍게도 탈락을 하였다. 지난 시
즌 리그를 제패한 밀란은 코파 이탈
리아를 제패한 라이벌 인테르를 향
해 "코파 이탈리아 따위 니 엉덩이
에나 박아" 라는 저격 문구를 들고 퍼레이드를 펼치더니 돌아온 이 대회에서
그것을 몸소 실천하였다.

23/1/12

킹 파흐드 Int. 스타디움, 리야드

22/23 수페르코파 데 에스파냐 4강

레알 베티스 2-2 바르셀로나

승부차기 2-4

어제 벤제마에 이어 오늘은 레반도 프스키가 역시 득점을 해냈다. 사우디 현지팬들에게는 뭔가 행운스럽게도 어제에 이어 오늘도 연장전이 펼쳐졌다 그리고 승부차기까지도. 또 의외로 팽팽한 승부가 된 것도 비슷했는데 결국 더 강한 팀이 이기는 것까지 판박이. 영원한 라이벌 레알과 올 해 첫 번째 트로피 를 놓고 다툴 예정이다.

23/1/12

크레이븐 코티지, 런던

22/23 프리미어리그 7R (순연경기)

풀럼 2-1 첼시

[오피셜] 주앙 펠릭스 첼시 이적 따끈따끈한 이 기사가 마르기도 전에 벌써 첼시 유니폼을 입고 선발로 뛰고 있다니…? 4일 전만 해도 아틀레티코-바르샤의 라리가 경기에서 뛰고 있었다. 뭔가 굉장히 급박한 출전인 느낌이 없잖아 있지만 그런것 치고는 좋은 플레이를 펼치며 첼시 팬들에게 기대를 심어주기에는 충분했다. 58분 다이렉트 퇴장을 당하기전까지는… 아주 정신없는 그의 PL 데뷔전. 첼시는 기껏 큰 마음 먹고 돈을 질렀더니 그 선수는 레드카드 먹고, 전 선수인 윌리안에게 부메랑을 맞고 기껏 치르는 순연 경기에서 패배 하나를 추가…

23/1/12
스타디오 올림피코, 로마
22/23 코파 이탈리아 16강
로마 1-0 제노아

약간 답답하긴 해도 디발라의 결승 골로 무리뉴의 로마는 연장 없이 질라르디노가 감독을 맡고 있는 제노아를 물리치며 8강에 안착하였다. 전반기 내내 제노아를 그린 적이 분명히 한 번도 없음에도 불구하고 아직 적응이 안 된다. 그들이 지난 시즌 강등 당해서 지금 세리에B 팀이라는 사실이.

23/1/13
디에고 아르만도 마라도나, 나폴리
22/23 세리에A 18R
나폴리 5-1 유벤투스

나이지리아인, 조지아인, 코소보인, 북마케도니아인 유베를 폭격하다. 정말 세리에 역사에 남을만한 엄청난 경기가 펼쳐졌다. 나폴리의 리그 우승 도전에 항상 걸림돌이 되었던 유벤투스였는데 물론 그 걸림돌이 그때보다는 지금이 비교적 작긴 해도 이런 스코어는...?! 이 역사적인 경기에 한국인도 함께 하였다. 이 결과가 더더욱 놀라운게 유베는 이 경기 전까지 리그에서 인테르나 라치오전 포함하여 8연속 클린시트 승리를 달리고 있었다. 유베의 한 경기 5실점은 30년전 페스카라에게 1-5로 패한 이후 30년만인데 그때 페스카라의 첫번째 득점자가 공교롭게도 알레그리(pk)였다. 좋은 것 안 좋은 것 여러모로 역사의 산 증인이다.

23/1/14
올드 트래포드, 맨체스터
22/23 프리미어리그 20R
맨유 2-1 맨시티

직전에 맨유는 월드컵에서 네덜란드 대표로 활약했던 베호르스트를 임대 영입. 지난 더비에서 홀란드한테 해트트릭과 함께 6골을 얻어맞고 넉다운되었던 맨유는 이번엔 OT에서 그를 꽁꽁 묶으면서 역전승을 거두며 1승 씩을 나눠갖게 되었다. 다만 브루누의 동점골 과정에서 오프사이드 위치에 있던 래쉬포드의 존재가(?)

상대 수비수 아칸지에게 그다지 방해가 되지 않았다는 판정은 논란의 말이 좀 많다.

23/1/14
아멕스 스타디움, 브라이튼
22/23 프리미어리그 20R
브라이튼 3-0 리버풀

브라이튼 소속으로 월드챔피언이 되어 홈구장으로 돌아온 맥칼리스테르는 아주 성대한 축하식을 치뤘다. 빅클럽에서는 많은 소속팀 선수들 차출하다보면 누군가는 혹은 단체로 월드컵 우승해서 돌아오는게 흔한 일이고, 중소 클럽에서는 그게 아니기 때문에 굉장히 영광스럽게 여겨 오히려 스케일 있게 해준듯 하다. 그

리고 경기도 아주 영광스러운 결과를 얻었다. 1월인데 March가 불타오르면서 클롭의 리버풀은 또 한 번 굴욕을 맛봤다.

23/1/14
비아 델 마레, 레체
22/23 세리에A 18R
레체 2-2 밀란

세리에B와 세리에A의 각 디펜딩 챔피언의 맞대결. 세리에B 챔피언이 이길 뻔했으나 세리에A 챔피언이 두 골 차이를 따라잡으며 무승부로 마무리. 12년전 밀란이 레체 원정에서 3-0으로 지던걸 3-4로 역전한 적이 있는데 비교적 괜찮은 시간대에 동점될 때만 해도 그때 기억이 잠깐 떠오르며 혹시...? 했다. 이제 밀란은 라이벌 인테르와 데르비로 펼쳐지는 수페르코파를 치르기 위해 사우디로 향한다. 이탈리아 국내 대회인데 사우디로 향한다.

23/1/14
쥐세페 메아짜, 밀라노
22/23 세리에A 18R
인테르 1-0 베로나

이른 시간 라우타로의 선제골이 터져서 무난한 승리각을 봤던 인테르지만 뒤에는 딱히 뭐 없는 지루한 우노쩨로 승리라고 할 수도 있다. 주중 코파 연장 여파가 있다는걸 생각하면 지루한 승리든 뭐든 실족만 안하면 장땡. 이제 인테르는 라이벌 밀란과 데르비로 펼쳐지는 수페르코파 이탈리아나를 치르기 위해 사우디 아라비아로 향한다. 이탈리아 국내 대회인데 사우디로 향한다.

23/1/15
마페이 스타디움, 치타 델 트리콜로레
22/23 세리에A 18R
사수올로 0-2 라치오

라치오의 경기를 꾸준히 따라가 그리기로 해놓고 꾸준히 득점하고 있던 자카니를 못 그려주고 있었는데 이제야 해냈다. 그러니까 앞으로 세리에에서 이름 들으면 알만한 선수가 되길.

23/1/15
스탬포드 브릿지, 런던
22/23 프리미어리그 20R
첼시 1-0 크리스탈 팰리스

첼시에서 선수 마지막 커리어를 보내며 활약을 펼쳤던 잔루카 비알리 (1996~1999)가 지난 6일 별세한 이후 처음 치뤄지는 스탬포드 브릿지 경기는 추모 행사로 시작하였다. 영입 직후 일사천리로 출전하게 한 후 일사천리로 퇴장 당한 주앙 펠릭스 없이 홈경기를 치른 첼시. 그냥 애초부터 영입하기 전이라 치고 경기하면 된다. 출전불가 선수 수로 보나 성적으로 보나 상처가 많은 첼시는 그나마 이 상황에서 믿을 맨인 하베르츠의 결승골로 승리하였다. 어시스트는 모로코의 월드컵 4강 주역 지예시였는데 그의 건재함 = 새로운 영입.

23/1/15
토트넘 핫스퍼 스타디움, 런던
22/23 프리미어리그 20R
토트넘 0-2 아스날

올 시즌 리그 우승을 꿈꾸는 아스날에게 또 한 번 찾아온 고비처였으나 오히려 완승을 거두면서 북런던은 물론이고 잉글랜드는 레드. 경기 종료 휘슬 울린 이후까지도 더비는 뜨거웠으며 램지데일을 걷어차는 토트넘 홈 관중의 비신사적인 행위까지 포착. 그 와중에 흥분한 주장 자카를 우쭈쭈하며 원정팬들과 승리를 만끽하게 끌고 가는 아르테타의 모습은 진정 감독이자 리더의 모습으로 구너가 아닌 나의 마음까지 훔쳤다. 한 편 찬란했던 프랑스 대표팀에서 최근에 은퇴 선언을 한 요리스는 이제 이 팀에만 헌신해야...

23/1/15
게비스 스타디움, 베르가모
22/23 세리에A 18R
아탈란타 8-2 살레르니타나

오초아가 세리에A 무대에 와서 참 고생이 많다. 물론 잔류를 다투는 팀에 와서 그런거긴 하지만 2016 코파 아메리카에서 칠레에게 당한 0-7 대참사 이후 오랜만에 겪는 재앙일 듯? 1996 인테르 8-2 파도바 이후 27년 만에 세리에A 한 경기 한 팀의 8득점 경기가 탄생하게 되었다. 그리고 아탈란타의 그 중심에는 오시멘과 득점 선두를 다투는 올 시즌 신입생이자 같은 나이지리안 루크먼이 있다.

23/1/15

킹 파흐드 Int. 스타디움, 리야드

22/23 수페르코파 데 에스파냐 결승

레알 마드리드 1-3 바르셀로나

과정은 순탄치 않았지만 결국에는 엘 클라시코로 치뤄지는 결승전. 또 의외로 결승은 바르셀로나의 우세한 경기로 펼쳐지면서 이미 이 수페르코파 최다 타이틀 보유 팀이었던 그들이 14번째 트로피를 가져갔다.

23/1/15
스타디오 올림피코, 로마
22/23 세리에A 18R
로마 2-0 피오렌티나

도도(인테르에서 뛴 그 도도 아님)의 도를 넘은 이른 시간 경고 누적 퇴장으로 수적 열세를 오래 겪은 피오렌티나는 별 다른 저항을 하기가 어려웠고 디발라의 멀티골 활약에 무릎 꿇었다. 모두 타미의 어시스트였는데 둘의 케미가 점점 좋아지고 있다.

23/1/16
탐마삿 스타디움, 방콕
2022 AFF 동남아 챔피언쉽 결승 2차전
태국 1-0 베트남
통합 3-2

월드컵 이후 2023년에 그리는 첫 A매치. 우리 박항서 감독의 베트남 대표팀에서의 마지막 경기이자 마지막 무대를 우승으로 마무리하는 모습을 그려주고 싶었지만 그렇게 되진 못했다. 하지만 그가 베트남의 영웅이라는것에 대해서는 아무도 이견이 없을 것이다. 베트남에서 5년간 고생 많았고 자랑스럽습니다~!

23/1/17
몰리뉴 스타디움, 울버햄튼
22/23 FA컵 64강 재경기
울버햄튼 0-1 리버풀

지난 번 경기때 엄청난 논란을 낳았던 울브스의 억울한 득점 취소로 인하여 굳이 재경기까지 오게 된건데 여기서 기회를 잡은 팀은 오히려 리버풀이었다. 울브스는 억장이 무너질 수 있는 상황이지만 리그로 가서 복수의 기회를 노려야 한다. 리버풀은 가까스로 32강행 막차를 탔다.

23/1/17
디에고 아르만도 마라도나, 나폴리
22/23 코파 이탈리아 16강
나폴리 2-2 (pk 4-5) 크레모네세

리그 압도적인 1위와 리그에서 승리 자체가 없는 꼴찌 팀이 맞붙었는데 후자가 승부차기 끝에 승리했다. 2월에는 또 발렌타인 데이를 기념해서 스페셜 에디션 차원에서 또 새로운 킷을 만들어 착용한 나폴리인데 물론 평소와는 다른 선발 라인업이 나오긴 했지만 정말 어느 모로 봐도 나폴리 같지 않은 모습이었다. 비오는 밤에 연장전까지 다 치르고 승부차기에서 패해서 탈락한건 뼈아프고 어찌 보면 굴욕적이지만 나폴리에게 올 시즌 중요한 것은 리그 뿐이다. 리그의 불우이웃 크레모네세에게 자비를 베푼 셈 치는걸로.

185

23/1/18
킹 파흐드 Int. 스타디움, 리야드
2022 수페르코파 이탈리아나
밀란 0-3 인테르

"내 눈이 침침해졌나 제코에서 밀리토가 보인다" 그냥 최근 흐름대로 인테르가 전반부터 이미 완승 각을 만들며 대회 2연패를 달성. 반면 밀란은 코파 이탈리아에서 치욕적인 탈락에 이어 이 대회마저 놓친 결과는 데미지가 클 것이다.

인테르 2022 수페르코파 이탈리아나 우승

경기는 뛰지 않았어도 'Alza la coppa capitano' 트로피 드는건 캡틴 한다노비치가! 통산 7회 우승이었던 라이벌 밀란을 격침시키며 7회 동률을 이루었다. 그걸 두 시즌동안 연패를 거두며 따라잡은 컵 대회의 강자 심버지 시모네 인자기.

23/1/18
셀허스트 파크, 런던
22/23 프리미어리그 7R (순연경기)
크리스탈 팰리스 1-1 맨유

브루누의 결승골로 10연승을 달리나
싶었던 맨유였지만 경기 막판에 발
목잡히며 실패. 순연 경기를 승리로
채우지 못했다.

23/1/19
스타디오 올림피코, 로마
22/23 코파 이탈리아 16강
라치오 1-0 볼로냐

한 달 전쯤 고인이 된 시니사 미하일
로비치를 레전드 선수로 두고 있는
팀과 생전 마지막 감독으로 두고 있
던 팀의 맞대결이었기에 특별한 추
모 행사로 시작되었다. 승부는 펠리
페 안데르송의 결승골로 라치오가
8강에 안착. 그나저나 5개월 전 올
시즌 리그 1라운드에서 이 둘이 맞
붙을 때만 해도 볼로냐의 사령탑으

로 이 곳 올림피코에 있었던 시니사였는데 지구 반대편에서 TV나 온라인 화면
으로만 접하며 그림 그리는 나도 기분이 이상한데 현지팬들은 오죽할까 싶다.

23/1/19
알리안츠 스타디움, 토리노
22/23 코파 이탈리아 16강
유벤투스 2-1 몬차

드디어 얼굴이 생성된 모이스 켄. 그러니까 이제 아주리 대표팀에 승선되었을 때도 좋은 활약 펼쳐주길 바란다. 어쨌든 긴 부상에서 돌아온 유베와 이탈리아의 희망 키에사가 결승골을 터뜨리며 8강행 마지막 주인공이 되었다.

22/23 코파 이탈리아 8강
인테르 - 아탈란타/ 유벤투스 - 라치오
로마 - 크레모네세/ 피오렌티나 - 토리노

23/1/19
에티하드 스타디움, 맨체스터
22/23 프리미어리그 7R (순연경기)
맨시티 4-2 토트넘

순연된 빅매치였는데 전반 막판에 원정팀 토트넘이 두 골을 몰아넣으며 승기를 잡나 싶었지만 역시나 승자는 맨시티였다. 전날에 생일을 맞이한 펩 과르디올라 감독이었는데 시티 선수들이 마치 후반에 가서 서프라이즈를 하듯한 퍼포먼스였다. 반면 콘테의 토트넘은 가장 타 빅6 팀 상대로 가장 첫 경기였던 첼시랑 나름 값지게 비긴 이후 5경기에서 모두 패하고 있다.

23/1/20
유벤투스 승점 -15점 삭감

리그의 50%에 도달한 이 시점에서 엄청난 사건이 터졌다. 2006 칼치오폴리에 이어 이번엔 회계 장부 조작으로 인하여 중징계를 받았다. 따라서 37점 3위 -> 22점 10위로 고속 추락.

23/1/21
안필드, 리버풀
22/23 프리미어리그 21R
리버풀 0-0 첼시

"출전 불가자들이 많아서 그래!"
액면가로는 빅매치이지만 최근 모습들을 봤을 때 소문 안 난 잔치에 정말로 먹을 것 없었다. 이 0-0 무승부는 두 팀의 흐름에 딱 걸맞는 결과.

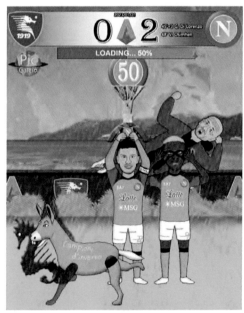

23/1/21
아레키 스타디움, 살레르노
22/23 세리에A 19R
살레르니타나 0-2 나폴리

이제 리그의 절반에 도달한 시점에서 50점을 달성한 나폴리는 어제 들려온 유벤투스의 승점 삭감 소식도 그렇고 2위 팀과의 승점 차이를 봤을때 그들의 이번 Campioni d'inverno(겨울의 챔피언/전반기 우승)는 17/18시즌 때와는 달리 의미가 없을 것 같지 않다. 이 쯤 되면 슬슬 트로피 드는 연습이나 해야 할 듯.

190

23/1/22
에티하드 스타디움, 맨체스터
22/23 프리미어리그 21R
맨시티 3-0 울버햄튼

홀란드 시즌 4호 해트트릭! 모두 홈에서만 이뤄냈다. 리그에서만 시즌 25호골이 되었는데 지난 시즌 23골로 공동 득점왕을 했던 살라와 손흥민을 리그 종료까지 17경기 남은 시점에서 달성했다.(......) 오늘의 홀트트릭 희생양 울브스는 지난 전반기 경기에서 그에게 1실점한 것을 포함하여 총 4실점으로 현재까지 홀란드에게 가장 많이 먹힌 팀이고, 로페테기는 전반기 세비야 감독일 때 챔피언스리그 조별 리그에서 이미 멀티골을 실점했기에 총 5실점으로 가장 많이 먹힌 감독이 되었다. 시티 유니폼을 입은 올 시즌의 홀란드 기준.

23/1/22
에미레이츠 스타디움, 런던
22/23 프리미어리그 21R
아스날 3-2 맨유

같은 라운드에 리버풀-첼시가 있었지만 현재 흐름상 으로 보나 순위 상으로 보나 지금은 누가 봐도 이 경기가 가장 빅매치. 상위권 팀들답게 명승부를 펼치다가 결국은 우승을 바라보고 있는 거너스가 승리를 가져가며 전반기에 당한 첫 패배를 설욕하였다. 같은 주간에 저 쪽 반도도 그렇고 똑같이 딱 시즌의 절반인 19경기만에 승점 50점을 달성하며 나란히 각자 오랜 만의 리그 우승을 다짐하듯.

23/1/22
스타디오 알베르토 피코, 스페치아
22/23 세리에A 19R
스페치아 0-2 로마

디발라의 2도움 맹활약! 탑7 중 꼴찌였던 로마는 유베의 승점 삭감과 더불어 챔스권도 노려볼수 있는 추진력을 얻었다.

23/1/22
알리안츠 스타디움, 토리노
22/23 세리에A 19R
유벤투스 3-3 아탈란타

이번 주말 이탈리아 축구계를 들썩이게 만든 그 엄청난 화제의 주인공 유베가 홈경기를 치뤘다. 아직 겨울인건 맞는데 토리노의 알리안츠 스타디움만 춥다 너~무 춥다. 그런 와중에 하필 탑7 내에 있는 쉽지 않은 상대를 만났다. 아 이제는 빅6 라고 표현하는게 맞겠다. 하지만 시즌 말미에는 또 어느 정도까지 만회하며 올라갈지는 모르는 일이며, 확실한 것은 17년전처럼 강등되지 않는 이상 상위권에서 나가리 됐다고 세리에서 항상 화제가 되는 유벤투스 경기를 안 그리진 않을 것이라는 것.

23/1/23
쥐세페 메아짜, 밀라노
22/23 세리에A 19R
인테르 0-1 엠폴리

지난 주중에 기분좋게 7번째 수페르 코파 이탈리아나를 획득하고 홈으로 돌아온 인테르. 홈팬들은 비교적 쉬운 경기라고 생각할수 있는 이 전반기 마지막 경기를 축제 뒤풀이 차원으로 이어갈 거라고 예상했을 것이다. 성적이 괜찮은 와중에 요즘 유일하게 심기 불편한 거리가 된 건 슈크리냐르의 재계약 거부 및 PSG 가네마네 건이었는데 하필 그 주인공이 전반전에 경고 누적으로 퇴장. 그 여파가 결국 패배로 이어지며 갑분싸로 전반기를 마무리했다. 그 전에 갑자기 웬 '해피 차이니즈 뉴이어' 한자로 네이밍된 스페셜 킷을 입고 스페셜한 결과.

23/1/23
크레이븐 코티지, 런던
22/23 프리미어리그 21R
풀럼 0-1 토트넘

두개의 빅 매치들과 홀란드의 시끄러운(?) 활약이 있었던 주말이 지나간 이후 월요일 밤에 손케 듀오의 합작으로 토트넘은 조용히 승점 3점을 추가했다.

23/1/24
스타디오 올림피코, 로마
22/23 세리에A 19R
라치오 4-0 밀란

사리볼이 제대로 굴러가니 이렇게 무섭다. 물론 밀란이 요즘 경기력 삭감 징계라도 받았나 싶은 퍼포먼스를 펼치고 있어서 그런 것도 있지만. 밀란은 최근 경기들을 통하여 코파 이탈리아 광탈, 수페르코파 이탈리아나 실패, 그리고 리그에서도 실족을 거듭하고 있다.

23/1/27
에티하드 스타디움, 맨체스터
22/23 FA컵 32강
맨시티 1-0 아스날

맨시티는 지난 64강 첼시에 이어 이번엔 리그에서 아직도 붙지 않은 1위 아스날을 탈락시켰다. 그 수많은 클럽들 중에 왜 하필 처음부터 가는 길마다 빅6를 만나나 싶다가도 그래도 모두 홈경기에 걸려서 그런지 수월하게 물리칠 수 있었다. 현재까지 리그 우승의 꿈을 안고 착실하게 해오고 있는 아스날은 저쪽 반도의 리그 단독 1위 나폴리가 코파 이탈리아에서 일찌감치 광탈한것도 똑닮았다.

23/1/28
스타디오 죠반니 지니, 크레모나
22/23 세리에A 20R
크레모네세 1-2 인테르

'새로 대두(emerge & big head) 되는 차기 주장의 품격? 캡틴 토로' 최하위의 크레모네세에게 불의의 선제 실점을 했던 인테르지만 라우타로의 원맨쇼로 승리를 챙겨갈 수 있었다. 반면 코파에서도 공식 승리는 아니긴 해도 리그 원탑 팀 나폴리를 탈락시키며 8강에 진출한 크레모네세지만 반환점을 돈 스무고개가 될 때까지도 리그 0승이다.

23/1/28
베뉴 딥데일, 프레스턴
22/23 FA컵 32강
프레스턴 0-3 토트넘

손흥민의 멀티골, 그리고 비야레알에서 임대해온 단주마까지 교체 투입된지 얼마 안돼서 데뷔골을 터뜨리며 완승을 거두었다. 잠깐 16강을 이끄는 손흥민...? 얼마 오래 지나지는 않은 익숙한 장면이다.

23/1/28
올드 트래포드, 맨체스터
22/23 FA컵 32강
맨유 3-1 레딩

카세미루 멀티골, 프레드 1골 1도움, 안토니 1도움 등 브라질리언들이 거의 다 해먹은 승리. 브루누 페르난데스도 1도움인데 같은 언어를 쓰는 이 포르투갈인도 껴주는 걸로.. 옥의 티는 에릭센의 부상을 야기한 눈쌀 찌푸리게 만든 앤디 캐롤의 질 떨어지는 태클.

23/1/29
마페이 스타디움, 치타 델 트리콜로레
22/23 세리에A 20R
밀란 2-5 사수올로

코파 이탈리아와 수페르코파를 포함하여 최근 공식 경기 6연속 무승 (2무 4패), 최근 3경기 12실점으로 패배 등 대재앙같은 기록을 쓰고 있는 밀란이며 오늘 경기는 선을 넘어도 씨게 넘었다. 피올리의 초창기였던 2019년 12월 아탈란타에게 한 경기 5실점(0-5)을 한 적이 있지만 이 경기는 산 시로이다.

23/1/29
아멕스 스타디움, 브라이튼
22/23 FA컵 32강
브라이튼 2-1 리버풀

리버풀은 얼마전 이곳에 와서 0-3으로 완패하더니 오늘은 석패했다 장족의 발전(?)은 개뿔 기껏 울브스한테 재경기까지 하면서까지 올라가놓고 (사실 그것도 애초에 석연찮은 판정으로 질거를 비겨서 얻어진 재경기) 여기서 추가 시간에 미토마에게 아름다운 3박자 골을 얻어맞고 광탈하였다. 순간 FA컵에서 간간히 활약해주던 미나미노가 그립... 아니다 그 실점을 안 했으면 또 재경기 생기는건데 재경기 치뤄 올라가서 결국 우승 못할 바엔 차라리... 사실 이 대회는 90분 내 무승부한다고 연장전을 치르는게 아니라 나중에 재경기를 다시 잡는 시스템 자체가 상당히 근본... 은 너무 오래된 대회라 뭐라 못하겠다. 사실 재경기는 내가 힘들다...!

23/1/29
알리안츠 스타디움, 토리노
22/23 세리에A 20R
유벤투스 0-2 몬차

"승점 삭감은 참아도 경기력 삭감은 못 참는다" 삭감의 충격이 아직 가시질 않았나? 전반기 때 몬차에게 역사적인 세리에A 첫 승을 선사했던 유베가 설마 홈에서도 또 다시 승리를 내주며 더블을 당했다. 유베 선수 출신인 현 몬차 감독 팔라디노는 친정팀을 상대로 구단의 역사 쓰는 중.

23/1/29
스타디오 올림피코, 로마
22/23 세리에A 20R
라치오 1-1 피오렌티나

라치오는 전반기 원정가서 4-0으로 대파한 피오렌티나를 홈으로 데리고 와서 이기지 못했다. 경기보다 화제가 되었던 것은 경기 전에 로마 팬들에게 지금 골칫 덩어리인 자니올로를 리스펙트하라는 현수막... 그냥 멕이는 것이지만 두 팀의 관계 생각하면 이 정도는 그냥 귀여운 수준.

23/1/29
디에고 아르만도 마라도나, 나폴리
22/23 세리에A 20R
나폴리 2-1 로마

"미토마 보고 있나? 그 정도는 나도 한다!" 3터치 원더골(2002 박지성 vs 포르투갈전 같은) 터뜨리기 챌린지라도 하듯 저쪽 섬나라 FA컵에서 브라이튼의 미토마가 해냈는데 여기서는 오시멘이 해냈다. 경기 준비를 잘 해온 로마였지만 결국엔 시메오네가 결승골을 터뜨리며 스쿠데토 가능성을 좀 더 업시켰다. 무리뉴 감독은 경기 후 자신의 선수들에게 당당하게, 이긴 것처럼 단체 사진을 찍을 것을 지시했다. 물론 그 곳에 자니올로는 없었다.

23/1/31
쥐세페 메아짜, 밀라노
22/23 코파 이탈리아 8강
인테르 1-0 아탈란타

"4강행 네라쭈리는 한 팀만 와주십시오" 인테르는 다르미안의 결승골로 네라쭈리 더비에서 승리하며 4강행 첫 차를 타고 안착하였다. 적지 않은 나이의 다르미안이지만 이 경기 이후 구단과 2년 재계약에 서명하였다.

23/2/1
아르테미오 프란키, 피렌체
22/23 코파 이탈리아 8강
피오렌티나 2-1 토리노

2월의 첫 날 피오렌티나의 레전드 '바티골' 바티스투타의 생일. 얼마 전 리그에서 패했던 토리노에게 리벤지에 성공하며 지난 시즌에 이어 또 다시 4강에 진출.

23/2/1
스타디오 올림피코, 로마
22/23 코파 이탈리아 8강
로마 1-2 크레모네세

이번 대회의 다크호스는 크레모네세인듯 하다. 후반기에 접어든 이 시점까지 리그 0승으로 꼴찌를 달리는 그들이 여기서는 16강 나폴리에 이어 로마까지 잡아내고 4강에 진출하는 대이변을 일으켰다. 피오렌티나와 결승 진출을 놓고 격돌한다.

23/2/2
알리안츠 스타디움, 토리노
22/23 코파 이탈리아 8강
유벤투스 1-0 라치오

사리볼에게 강한 알레그리볼. 리그 경기 3-0에 이어 이번에도 무실점으로 승리하였다. 승점 삭감으로 올 시즌 스쿠데토 가능성이 사실상 없다고 볼 수 있는 유베는 코파 이탈리아와 유로파리그에 좀 더 힘을 줘야 할 것이다. 결승 가는 길목은 숙적 인테르와 데르비 디탈리아라는 험난한 대진이 기다리고 있다 저쪽은 피오렌티나-크레모네세인데...

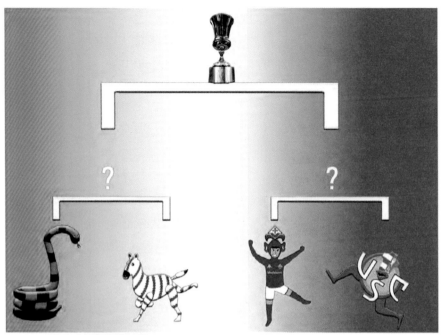

22/23 코파 이탈리아 4강

인테르 - 유벤투스/ 피오렌티나 - 크레모네세

홈 앤 어웨이로 4월에 치뤄질 예정이며 객관적으로 이탈리안 데르비 승자의 우승 가능성이 높아보이지만, 많은 응원을 받는 팀은 역시 크레모네세.

23/2/3

스탬포드 브릿지, 런던

22/23 프리미어리그 22R

첼시 0-0 풀럼

월드 챔피언이자 영 플레이어 수상을 받은 엔소 페르난데스를 겨울 이적시장 막판에 루머대로 벤피카로부터 영입하는데 결국 성공했다! 정말 범접하기 힘든 수준의 천문학적 금액을 지불하여 데려와서 데뷔전을 치른 결과가 풀럼과의 리턴 매치에서 무재배.

201

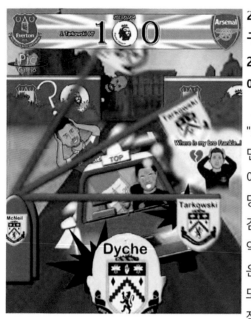

23/2/4

구디슨 파크, 리버풀

22/23 프리미어리그 22R

에버튼 1-0 아스날

"아 램파드가 아직 있었다면...!"
맨유가 감독 교체 버프 받은 빌라의
에메리한테 당한 것처럼 아스날도
당했다. 번리인지 에버튼인지... 번리
감독으로 프리미어리그에서 오래 활
약했던 션 다이치가 부임한 에버튼
은 전 번리 출신 맥닐의 도움 그리고
또 다른 번리 출신 타코우스키의 득
점으로 갈 길 바쁜 선두 거너스를 잡

아냈다. 거의 패배가 없던 선두 팀으로 왔더니 첫 경기부터 패배를 맛본 조르
지뉴.

23/2/4

올드 트래포드, 맨체스터

22/23 프리미어리그 22R

맨유 2-1 크리스탈 팰리스

이틀 전 텐 하흐 감독이 맨유 부임
이후 첫 생일을 맞이하였다. 무난하
게 승리를 챙기나싶은 흐름이었으나
양팀이 시비 붙은 상황에서 카세미
루의 목조르기 시전이 VAR로 걸려
퇴장당하고 만회골을 실점. 쫄리는
상황까지 갔지만 승리를 잘 챙겨냈
다.

23/2/4
몰리뉴 스타디움, 울버햄튼
22/23 프리미어리그 22R
울버햄튼 3-0 리버풀

FA컵에서 부당한 판정으로 승리를 빼앗기며 재경기까지 가서 결국 패했던 울브스는 리그에서 리벤지를 제대로 하는데 성공하였다. FA컵에서 그렇게까지 올라가서 다음 라운드에서 결국 탈락한 리버풀인데 여전히 삐걱거리고 있다. 이제 입춘인데 언제 겨울잠에서 깨어날런지...? 아니 겨울잠이라고 하기에는 여름부터 쭉 들쑥날쑥 해왔다.

23/2/4
스타디오 올림피코, 로마
22/23 세리에A 21R
로마 2-0 엠폴리

세트피스의 장인들 로마는 경기 시작 6분만에 세트피스만으로 폭풍 2골을 넣은 뒤 나머지 시간은 지루하다고 할 수도 있겠지만 편안한 승리를 챙겼다. 모두 디발라의 도움.

23/2/5
스타디오 알베르토 피코, 스페치아
22/23 세리에A 21R
스페치아 0-3 나폴리

도저히 멈출 줄을 모르는 나폴리의 통산 세번째 스쿠데토를 향한 단독 질주. 오늘 오시멘의 득점에서 나온 어마어마한 점프는 19/20 호날두가 삼프도리아 원정에서 보여준 점프 (득점) 기록보다 2cm 더 높게 갱신하였다.

23/2/5
토트넘 핫스퍼 스타디움, 런던
22/23 프리미어리그 22R
토트넘 1-0 맨시티

18/19 챔스 8강 1차전 손흥민의 결승골 1-0 승리 이후 시즌 리그 경기부터 모두 1-0 혹은 2-0으로 토트넘의 승리. 벌써 5년째... 토트넘 원정만 오면 꾸준히 단 한 골도 넣지 못하고 꾸준히 패하고 있는 맨시티. 반대의 상황이라면 모를까 굉장히 불가사의한 현상이다. 콘테가 병가로 부재한 상황에서 승리의 결승골을 뽑아낸 케인은 토트넘 역대 최다 득점자로 등극하였다. 이것도 트로피 하나 구단에서 제작해서 부여해줘야... 반면 올 시즌 득점왕을 예약한 홀란드는 슈팅 0개의 굴욕을 맛봤다.

23/2/5
쥐세페 메아짜, 밀라노
22/23 세리에A 21R
인테르 1-0 밀란

"오나나 데르비 공짜 직관 논란... 오히려 돈을 받아?" 최근 흐름과는 무관하게 흘러가는 경우가 많던 데르비 델라 마돈니나였는데 얼마전 수페르코파처럼 이번에도 그딴건 없었고 이제는 주장 완장을 달고 나오는 캡틴 토로의 통산 7번째 데르비 득점으로 인테르의 승리. 시모네 인자기는 인테르 감독 부임 이후 리그 한정 통산 4번째 경기만에 첫 승리.

23/2/6
스타디오 벤테고디, 베로나
22/23 세리에A 21R
베로나 1-1 라치오

전설의 10/11 바르샤 멤버 출신 페드로의 기막힌 제자리 터닝슛으로 선제골을 뽑아낸 라치오지만 팀은 무승부에 그쳤다.

23/2/7
아레키 스타디움, 살레르노
22/23 세리에A 21R
살레르니타나 0-3 유벤투스

블라호비치, 코스티치 세르비안 듀오의 대활약으로 살레르니타나를 상대로 이번에는 무난한 승리를 챙긴 유베. 일단 몬차의 벽부터 넘어야 한다.

23/2/8
프랭스 몰라이 압둘라, 라바트
2022 FIFA 클럽 월드컵 4강
알 아흘리 1-4 레알 마드리드

아프리카 대륙의 챔피언 알 아흘리는 이집트 클럽으로써 같은 북아프리카 지역(모로코)에서 홈과 같은 이점을 누릴 수는 있었지만 상대가 레알인 이상 무용지물.

23/2/8
올드 트래포드, 맨체스터
22/23 프리미어리그 8R (순연경기)
맨유 2-2 리즈

연기가 돼서 이제야 치뤄지는 장미 더비인데 올드 트래포드에서 의외로 언더독의 리즈가 좋은 결과를 얻었다. 맨유는 1차전을 간신히 비긴 꼴인데 2차전은 장소를 바꿔 3일 뒤 치뤄진다.

23/2/8
스타드 벨로드롬, 마르세유
22/23 쿠프 드 프랑스 16강
마르세유 2-1 PSG

[오피셜] PSG 트레블 실패
사실 파리의 트레블 조각이 맞춰지느냐 마냐는 대부분 챔피언스리그에서 갈렸는데 (매번 실패했지만) 이제는 아예 챔스 16강을 치르기도 전에 프랑스 FA컵 16강딱을 당했다. 메있산왕이 여기서...?!

그리고 이틀전 시리아와 지금 여기서 뛰고 있는 윈데르의 나라 튀르키예에서 끔찍한 지진 재앙이 발생하였다. 그들에게 기적을...

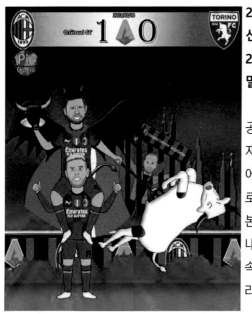

23/2/10
산 시로, 밀라노
22/23 세리에A 22R
밀란 1-0 토리노

공식 경기 7연속 무승의 수렁에 빠져 있던 밀란이 드디어 천신만고 끝에 지루-테오 프렌치 콤비의 합작으로 승리를 따냈다. 지난 전반기때는 본인들의 기나긴 원정 무패를 끊어내고, 코파 이탈리아에서 수적 우위 속에서도 패배를 안긴 토리노였던지라 썩 쉬운 상대는 아니었을 것이다.

23/2/11
올림픽 스타디움, 런던
22/23 프리미어리그 23R
웨스트햄 1-1 첼시

첼시는 엄청난 거금을 들인 저 둘이 한 골을 합작해내며 웨스트햄과 무승부.

23/2/11
에미레이츠 스타디움, 런던
22/23 프리미어리그 23R
아스날 1-1 브렌트포드

이건 또 무슨 오심인가? 브렌트포드의 득점은 정당하지 못했고 그 여파로 아스날은 결국 승점 2점을 잃어버리고 말았다. 맨시티라는 부담스럽기 그지없는 추격자가 있는 상황에서 나중에 치명타가 되지 않을까 우려될 수 있다. 트로사르의 데뷔골이 있었지만 빛이 바랬다. 경기 후 협회는 아스날에게 "미안하다"면 끝.

23/2/11
킹파워 스타디움, 레스터
22/23 프리미어리그 23R
레스터 4-1 토트넘

토트넘은 4실점 참혹한 패배를 당하면서 4위인 뉴캐슬하고 어느 정도 거리가 생긴 채 이 상태로 밀라노로 챔피언스리그 16강을 치르러 간다. 설상가상으로 벤탄쿠르 부상.

23/2/11
비아 델 마레, 레체
22/23 세리에A 22R
레체 1-1 로마

득점은 로마 쪽에서만 나오고 두 쟐로로씨(노랑빨강) 팀은 사이좋게 비겼다. 로마에게 경기 결과는 별로지만 굉장한 골칫거리로 순식간에 전락해버린 자니올로를 떨궈낸 것만으로도 기쁨을 누릴 수 있지 않을까 싶다. 그 보낸 팀 갈라타사라이도 마침 쟐로로씨...

23/2/11
프랑스 물라이 압둘라, 라바트
2022 FIFA 클럽 월드컵 결승
레알 마드리드 5-3 알 힐랄

레알이 예상대로 승리하며 우승하긴 했지만 아시아 챔피언 자격으로 나온 알 힐랄도 충분히 박수를 받을만하다. 일단 남미 챔피언 플라멩구를 이기고 올라온 것도 놀라운데 결승에서 레알을 상대로 3득점이나 올렸다. 골든볼은 비니시우스, 실버볼은 발베르데. 레알 마드리드는 통산 5번째 우승으로 이 대회 최다 우승 클럽(2위가 바르셀로나 3회).

레알 마드리드 2022 FIFA 클럽 월드컵 우승

이 타이틀로 유럽 5대 리그 클럽 중 최초로 통산 100개의 트로피를 달성.

23/2/3
스탬포드 브릿지, 런던
22/23 프리미어리그 22R
첼시 0-0 풀럼

월드 챔피언이자 영 플레이어 수상을 받은 엔소 페르난데스를 겨울 이적시장 막판에 루머대로 벤피카로부터 영입하는데 결국 성공했다! 정말 범접하기 힘든 수준의 천문학적 금액을 지불하여 데려와서 데뷔전을 치른 결과가 풀럼과의 리턴 매치에서 무재배.

23/2/12
엘란드 로드, 리즈
22/23 프리미어리그 23R
리즈 0-2 맨유

로즈 더비 1차전 올드 트래포드에서 좋지 못한 무승부를 기록한 맨유는 2차전 원정에 와서 승리를 따내며 다음 라운드 진출...? 뭔 특정 두 팀이 리그 경기를 3일 간격으로 또 치르고 있으니 이런 느낌이다. 어쨌든 장미는 빨강.

23/2/12
에티하드 스타디움, 맨체스터
22/23 프리미어리그 23R
맨시티 3-1 아스톤 빌라

전날 억울하게 승리를 놓친 아스날은 전 감독 에메리에게 무언가를 기대했겠지만 뜻대로 이루어지지 않았다. 맨시티는 선두에 3점차로 바싹 따라 붙었으며 이제 드디어 주중에 리그 맞대결이 다가온다.

23/2/12
알리안츠 스타디움, 토리노
22/23 세리에A 22R
유벤투스 1-0 피오렌티나

라비오의 헤딩 선제골은 막히는건줄 알았으나 골라인 판독기로 득점 선언. 이후 VAR 오프사이드 판독으로 블라호비치의 추가골, 그리고 경기 막판 카스트로빌리의 동점골인줄 알았던 득점들까지 모두 취소되며 결국 라비오의 결승골로 마무리되었다. 현대 기술이 가른 유베의 승리.

23/2/12
디에고 아르만도 마라도나, 나폴리
22/23 세리에A 22R
나폴리 3-0 크레모네세

세리에 팀들 중에서도 유독 스페셜 에디션 킷 생성을 좋아하는 나폴리의 이번 킷은 팀 컬러와는 동떨어져 보이는 색상의 발렌타인 데이 기념 킷이다. 이미 얼마 전 코파 이탈리아 16강전에서 처음 입고 선 보였는데 결과는 리그 최하위 크레모네세 상대로 승부차기 탈락. 그런데 그 크레모네세를 또 상대하니 나폴리 팬들에게는 약간의 트라우마가 생길수도 있었지만 역시 제대로 된 1군 멤버로 나와서 다시 제대로 붙으니까 문제 없이 이긴다. 발렌타이 데이고 나발이고 오늘은 '크바라도나' 크바라츠켈리아의 생일이며 셀프 축포를 터뜨렸다.

23/2/13
루이지 페라리스, 제노바
22/23 세리에A 22R
삼프도리아 0-0 인테르

"테르야 입춘 지났는데 아직 자냐"
지난 주 데르비 델라 마돈니나에서
승리를 따내면서 분위기 괜찮았던
인테르는 위에서 2등이지만 밑에서
2등인 삼프도리아에게 의외로 고전
하며 무재배. 그러면서 이번 라운드
도 문제없이 승리를 거둔 나폴리와
차이가 15점 차이로 더 벌어졌다.
이쯤 되면 인테르는 2위가 아니라

그냥 인간계 1등인걸로. 그리고 여전히 강등 위기에 처한 팀을 맡고 있는 절박
한 데키에게 선물 하나 줬다고 치면 마음이 편할지...?

23/2/13
안필드, 리버풀
22/23 프리미어리그 23R
리버풀 2-0 에버튼

그거 아세요? 2023년 새해 된지 43
일만에 리버풀이 안필드에서 리그
첫 승 거둔거 사실 두 팀은 근래 들
어서는 더비 라고 하기에도 민망한
수준으로 리버풀이 제 아무리 못해
도 무승부는 가져갔으며, 각포의
데뷔골이 마침내 여기서 터지며 승
리를 챙겼다.

23/2/14
산 시로, 밀라노
22/23 UCL 16강 1차전
밀란 1-0 토트넘

드디어 챔스 16강이 시작되었다. 각자 우려가 많은 두 팀간의 대결이었는데 이른 시간 터진 밀란의 10번 브라힘 디아즈의 우겨 넣기 골로 결국 홈팀 밀란이 승리를 가져갔다. 이로써 밀란은 12/13시즌 16강 1차전 보아텡과 문타리의 골로 바르셀로나에게 2-0으로 승리를 거둔 이후 10년만에 산 시로에서 챔피언스리그 토너먼트 승리를 맛 볼수 있었다. 반면 콘테는 세리에 감독 시절 밀란을 상대로 10승 3무 1패였으나 여기서 두 번째 패배가...

23/2/14
파르크 데 프랭스, 파리
22/23 UCL 16강 1차전
PSG 0-1 바이에른 뮌헨

19/20 코로나 시즌 결승의 데자뷰... 득점자마저 똑같아서 소름이다. 그 득점자도 하필 PSG 출신 코망이 데자뷰시키고 있다. 뒤늦게 음바페가 동점골을 터뜨렸나 했지만 VAR 오프사이드로 잡혔고 파바르가 경고 누적으로 퇴장 당했지만 2차전에 그다지 타격이 될 것 같지 않다. 그것이 '뮌헨'이니까.

23/2/15
에미레이츠 스타디움, 런던
22/23 프리미어리그 12R (순연경기)
아스날 1-3 맨시티

맨시티가 챔피언스리그 16강 1차전 원정 경기에서 완승을 가져갔다! 둘의 체급상 전력도 그렇고 챔스 16강 경기하는 와중에 치뤄지니까 마치 이런 느낌. 이 결과로 순위 상으로는 시티가 골득실로 1위이긴 하나 아스날이 밀린 경기가 하나 더 있기 때문에 시티가 선두 탈환을 했다라고 말하고 싶진 않다. 아스날은 그래도 진짜 챔피언스리그 경기인 클럽 브뤼헤-벤피카 시청률은 이겼다...

23/2/15
시그날 이두나 파크, 도르트문트
22/23 UCL 16강 1차전
도르트문트 1-0 첼시

저만한 돈을 쓰고도 챔피언스리그에서조차 반전이 일어나지 않는 첼시. 물론 2차전이 남아있긴 하나 분데스리가 3위와 프리미어리그 10위의 대결이었다는 것을 생각하면 1-0이라는 스코어는 오히려 행운이라고 느껴지기도 한다. 도르트문트의 아데예미가 팀의 역습 상황에서 하프라인에서부터 폭풍 드리블로 최종 수비수 엔소와 골키퍼 케파까지 다 제끼고 엄청난 결승골을 터뜨렸다.

23/2/15
얀 브레이델 스타디움, 브뤼헤
22/23 UCL 16강 1차전
클럽 브뤼헤 0-2 벤피카

전세계 축구팬들이 동시간대에 도르트문트-첼시나 아스날-맨시티 경기를 보는 와중에 벤피카는 조용히 원정 완승을 거두었다. 벤피카도 유럽 축구역사에서 손 꼽히는 명문팀임에도 불구하고 저평가 받는 것은 포르투갈 리그 소속이기 때문.

23/2/16
캄프 누, 바르셀로나
22/23 UEL 16강 플레이오프 1차전
바르셀로나 2-2 맨유

챔피언스리그 조별리그에서 또 탈락해서 내려온 것도 서러운데 플레이오프에서 상대가 하필 잘 나가는 명문팀 맨유... 물론 맨유 입장에서도 하필 바르샤지만 이 곳은 캄프 누이기에 이 무승부는 바르샤 쪽에게 안 좋은 기운이 몰려온다. 과거 챔피언스리그 4강, 결승 등 높은 무대에서 맞붙었을 때에 비하면 선수 개개인 클라스는 떨어져도 흥미도로 따지면 체감상 더 재미있었던 것 같다.

23/2/16
레드불 아레나, 잘츠부르크
22/23 UEL 16강 플레이오프 1차전
잘츠부르크 1-0 로마

챔피언스리그 조별리그에서 이탈리아 팀 밀란을 상대로 홈에서는 비겼던 잘츠부르크인데 이번엔 잡았다 이탈리아 팀을... 지난 시즌 컨퍼런스리그 챔피언 무리뉴의 로마는 여기서 탈락할 위기에 처했고 올림피코로 가서 반전을 노려야 한다.

23/2/16
알리안츠 스타디움, 토리노
22/23 UEL 16강 플레이오프 1차전
유벤투스 1-1 낭트

리그 승점 삭감으로 스쿠데토는 고사하고 챔피언스리그 진출권인 4위권 수성 자체도 어려워진 유베는 이 유로파 리그 우승만이 답이다. 그래야 다음 시즌 챔피언스 리그 본선으로 프리패스할 수 있기에. 하지만 플레이오프 홈경기를 승리하지 못하면서 부담을 갖고 다음 주에 원정을 떠난다. 유베에게 낭트는 95/96시즌 챔스 4강에서 맞붙어 승리하고 우승한 좋은 기억이 있다.

23/2/17

마페이 스타디움, 치타 델 트리콜로레

22/23 세리에A 23R

사수올로 0-2 나폴리

나폴리는 다음주 챔피언스리그 16강 출격할 차례를 앞두고 금요일 밤에 경기를 치뤘다. 역시 리그 7연승으로 스쿠데토 가능성을 더더욱 높이는 데에는 전혀 어려움 없이 진행 중.

최근 튀르키예 지진으로 첼시에서도 뛰었던 가나 국가대표 크리스티안 아추가 사망했다는 비보가 들려왔다. PL에서는 첼시, 뉴캐슬, 에버튼, 본머스 등에서 뛰었다. 삼가 고인의 명복을 빕니다.

23/2/18

빌라 파크, 버밍엄

22/23 프리미어리그 24R

아스톤 빌라 2-4 아스날

PL로 돌아와서 우승을 노리는 친정 팀을 상대하는 에메리 감독. 하지만 아스날은 역시 우승을 노리는 팀 답게 1-2를 4-2로 역전시키며 주중 맨시티전 맞대결 패배로부터 치유하였다. 역전 결승골은 월드 챔피언 에밀리아노 마르티네즈의 자책골로 기록되긴 했지만 겨울이적 신입생 조르지뉴의 슈팅이 매우 빛났던 순간.

23/2/18
시티 그라운드, 노팅엄
22/23 프리미어리그 24R
노팅엄 포레스트 1-1 맨시티

주중에 아스날과의 맞대결 이기면 뭐하겠누... 늦은 시간 Wood에게 동점골을 허용하며 중하위권 팀한테 발목 잡혀서 다시 도돌이가 되어버린걸...?

23/2/18
스탬포드 브릿지, 런던
22/23 프리미어리그 24R
첼시 0-1 사우스햄튼

그만한 거액을 쏟아부은 첼시는 홈에서 꼴찌 팀한테 무득점으로 지는 갈 때까지 간 결과를 냈고 설상가상으로 캡틴 아스필리쿠에타는 거의 의식을 잃은 채 실려 나갔다. 실려 나갈 당시에는 다행히도 깨어나긴 했지만 여러모로 모든 면에서 악재인 첼시.

23/2/18
스타디오 코무날레 브리안테오, 몬차
22/23 세리에A 23R
몬차 0-1 밀란

말릭 치아우 벽의 효과가 이 정도인가? 센터백에 이 선수를 세우고 귀신같이 무실점 3연승을 거두고 있다. 한 때 무더기 실점을 내주면서 7연속 무승에 빠졌던 밀란의 피올리 감독은 다시 켜졌다.

23/2/18
세인트 제임스 파크, 뉴캐슬
22/23 프리미어리그 24R
뉴캐슬 0-2 리버풀

뉴캐슬 입장에서 본 리버풀... 리그에서 겨우 2패 째인데 그 2패가 모두 리버풀이다. 지난 전반기 안필드에서는 버저비터 역전골 실점을 하면서 아쉬움을 삼켰다면 이번에는 초반부터 사실상 거의 망한 경기 흐름. 지난 머지사이드 더비에서 데뷔골을 터뜨린 각포는 이번에 두 경기 연속골.

23/2/18
쥐세페 메아짜, 밀라노
22/23 세리에A 23R
인테르 3-1 우디네세

의외로 쉽지 않게 흘러갔지만 승점 3점을 가져가면서 인테르는 리그 1위를 유지한다. 나폴리는 지금 범접할 수 없는 수준의 탈 세리에A 팀이니까 인간계 19개 팀 중 1위 말이다. 이제 주중에 챔피언스리그 16강 1차전을 치르기 위하여 이곳에 포르투가 방문한다.

23/2/19
올드 트래포드, 맨체스터
22/23 프리미어리그 24R
맨유 3-0 레스터

계속 승점 3점을 꾸역꾸역 챙기던 맨유는 어느덧 2파전이라고만 생각했던 아스날과 맨시티의 우승 경쟁에 노크 정도는 할 수 있는 정도로 따라붙었다. 2위 맨시티에 단 3점 차.

23/2/19

아레키 스타디움, 살레르니타나

22/23 세리에A 23R

살레르니타나 0-2 라치오

살레르니타나에 파울로 소우사 감독이 새로 부임하였다. 15/16시즌 피오렌티나를 잠시나마 1위, 최종 5위로 이끌었던... 에릭센이 20년뒤에도 머리 숱이 온전하고 관리를 잘한다면 저런 모습일 듯 하다. 어쨌든 경기 승리는 라치오가 가져갔다. 33번째 생일을 하루 앞둔 라치오의 살아있는 레전드 임모빌레가 멀티골을 기록하면서 자축포를 쏘아올렸다.

23/2/19

토트넘 핫스퍼 스타디움, 런던

22/23 프리미어리그 24R

토트넘 2-0 웨스트햄

감독 대행 7전 7승 승률 100%의 스텔리니는 왜 코치...? 인테르 시절부터 콘테가 징계로 빠질때마다 대타로 감독 대행 자리에 앉을때마다 모든 경기를 다 이기고 있다. 다음 달에 있을 밀란과의 챔스 16강 2차전에서도 콘테를 쉬게 해야...? 그리고 교체로 들어가서 리그 5호 골을 터뜨린 손흥민.

23/2/19
스타디오 알베르토 피코, 스페치아
22/23 세리에A 23R
스페치아 0-2 유벤투스

승점 삭감 크리로 얼마전만 해도 몬차의 벽을 못 넘네마네 했던 유베가 어느덧 빅6의 문을 두드리고 있다. 이 7벤투스는 여느 때의 7벤투스와는 얘기가 다르다. 승점 삭감이 없었다면 현재 인간계 1위.

23/2/19
스타디오 올림피코, 로마
22/23 세리에A 23R
로마 1-0 베로나

로마가 이번 겨울 이적시장에서 프리로 영입한 노르웨이의 신성 솔바켄의 결승골로 승리하였다. 이로써 홈 4연속 무실점 승리를 거두고 있다. 다음 홈경기 손님은 유벤투스.

23/2/21

도이쉐 뱅크 파크, 프랑크푸르트

22/23 UCL 16강 1차전

프랑크푸르트 0-2 나폴리

역시 올 시즌 나폴리의 축구는 자국 뿐 아니라 유럽 무대에서도 통한다는걸 제대로 보여주었다. 물론 월드컵 결승전에서 마지막 순간 주인공이 될 수도 있었던 무아니가 퇴장 당한 영향도 있겠지만, 홈으로 돌아오는 나폴리의 발걸음은 매우 가볍다.

23/2/21

안필드, 리버풀

22/23 UCL 16강 1차전

리버풀 2-5 레알 마드리드

경기 시작 15분까지만 해도 천하의 레알 쪽에서 어이없는 실책까지 나오고 흐름 한 번 타면 무서운 안필드의 리버풀을 생각해봤을 때 레알의 올 시즌 여정은 여기까지인가 잠깐 생각할 정도였다. 하지만 비-벤이 동반 멀티골을 터뜨리면서 오히려 기대 이상의 결과를 가져갔다. 아무리 올 시즌 리버풀이 들쑥날쑥하다해도 경기 스코어만큼이나 예상 못한 것은 천하의 알리송을 이 경기로 인해 이제서야 처음 그리게 됐다는 것.

23/2/22
쥐세페 메아짜, 밀라노
22/23 UCL 16강 1차전
인테르 1-0 포르투

챔피언스리그 토너먼트 무대의 쥐세페 메아짜 홈경기에서 맛보는 11년만의 승리. 11/12시즌 16강 당시 2차전이었던 마르세유와의 홈경기는 밀리토와 뒤늦은 파찌니 PK골로 2-1 승리는 거뒀지만 원정 다득점 원칙에 의해 탈락했었다. 축구 선수로써의 상도덕을 어기며 '알 사드' 행위를 한 오타비우는 그걸로 경고, 그리고 결국 후반에 한 장 더 받고 퇴장당하며 결국 팀 패배라는 카르마로 돌려받았다.

23/2/22
레드불 아레나, 라이프치히
22/23 UCL 16강 1차전
라이프치히 1-1 맨시티

전날 생일이었던 마레즈가 생일 축포를 쏘아올렸다. 하지만 지난 2022 월드컵 크로아티아 3위의 주역이자 외모와는 달리 샛별로 떠오른 인물 그바르디올의 동점골. 리드를 잡고 있지 못한 상황에서 펩 감독은 벤치에 포든이나 '월드챔피언' 알바레즈 같은 자원들이 있었음에도 교체카드를 단 한 장도 쓰지 않고 아껴두며 또 여러 말 나오게 하였다. 주말에 리그 경기에서 본머스 상대하는게 더 중요했나보다.

23/2/23
스타드 드 라 보주아르, 낭트
22/23 UEL 16강 플레이오프 2차전
낭트 0-3 유벤투스
통합 1-4

유벤투스는 홈에서 치뤄진 1차전 무승부는 실족에 가까웠지만 2차전에서는 의외로 쉽게 완승을 거두며 플레이오프를 통과했다. PSG 출신으로 프랑스 정복좀 많이 해본 남자 디 마리아의 날. 특히 땅볼로 오는 패스를 원터치 바나나킥으로 때려 넣은 첫 번째 골은 탄성을 자아내게 했다.

23/2/23
올드 트래포드, 맨체스터
22/23 UEL 16강 플레이오프 2차전
맨유 2-1 바르셀로나
통합 4-3

선제골은 원정팀 바르샤의 몫이었지만 꿈의 극장에서 결국 맨유가 역전승을 거두며 플레이오프에서 통과했다. 반면 바르샤는 지난 시즌처럼 챔피언스리그 조별리그에서 또 탈락한 데 이어 여기 유로파리그에서 또 탈락의 쓴 맛을 보고 있다.

23/2/23
스타디오 올림피코, 로마
22/23 UEL 16강 플레이오프 2차전
로마 2-0 잘츠부르크
통합 2-1

무리뉴의 로마는 1차전 원정가서 막판 불의의 일격을 얻어 맞고 졌지만 역시 믿고 있었다. 리그에서는 잘 못넣어도 유로파에서는 나쁘지 않게 해주는 벨로티가 득점을 터뜨리면서 디발라와 함께 동갑내기 팔레르모 출신 듀오가 역전극을 완성시키며 로마의 플레이오프 통과를 이끌었다.

지난 시즌 컨퍼런스 리그 우승에 이어 올시즌은 유로파 우승을 노린다.

23/2/25
킹 파워 스타디움, 레스터
22/23 프리미어리그 25R
레스터 0-1 아스날

우크라 전쟁이 어느덧 1년이 되었다. 다시 한번 평화를 외치면서 이번주 프리미어리그 팀의 주장들은 우크라이나 국기로 새겨진 완장을 착용한다. 아스날의 경우 우크라이나 선수인 진첸코가 올 시즌 신입생이긴 하나 이러한 사유로 특별히 주장 완장을 달고 출전하였다. 여전히 리그 선두인 그의 팀이 경기도 평화롭게 승리를 가져갔다.

23/2/25
카를로 카스텔라니, 엠폴리
22/23 세리에A 24R
엠폴리 0-2 나폴리

경쟁자 없는 압도적 선두 나폴리가 경기는 무난히 가져갔다. 하지만 마리오 후이의 카푸토를 향한 비신사적인 급소 걷어차기 행위로 인한 퇴장은 옥의 티로 남았다.

23/2/25
바이탈리티 스타디움, 본머스
22/23 프리미어리그 25R
본머스 0-4 맨시티

이번 본머스전 완승을 위하여 주중 챔피언스리그 16강 1차전 라이프치히 원정에서 승리하지 못하는 상황에서도 포든과 알바레즈를 포함한 벤치 전원을 꽁꽁 아껴둔 보람이 있었다! 홈에서 열릴 라이프치히와의 2차전을 이기면 큰 그림이었다고 말할수 있고 아니면 뭐...

23/2/25
산티아고 베르나베우, 마드리드
22/23 라리가 23R
레알 마드리드 1-1 아틀레티코 마드리드

앙헬 코레아가 엘보우 파울로 퇴장을 당하며 어려움을 겪는 줄 알았던 아틀레티코지만 오히려 선제골을 터뜨리며 이길 뻔도 했다. 가까스로 무승부라도 건진 레알이지만 우승과는 점점 멀어지고 있다.

23/2/25
셀허스트 파크, 런던
22/23 프리미어리그 25R
크리스탈 팰리스 0-0 리버풀

주중에 레알 마드리드에게 후들겨맞은 리버풀은 아직 정신을 덜 차린 듯. 그 전에는 올 시즌 강팀으로 분류되는 뉴캐슬을 잡았었으나 여전히 들쑥날쑥한 모습을 보이고 있다.

23/2/26
레나토 달라라, 볼로냐
22/23 세리에A 24R
볼로냐 1-0 인테르

주중 챔피언스리그 16강 1차전 경기에서 승리를 따낸 인테르지만 피로도를 극복하지 못하고 그들의 트레블 영웅 중 한 명인 티아고 모따 현 볼로냐 감독에게 선물을 주었다. 전반기 빅6와의 모든 경기를 원정에서 치르고 모두 패했던 볼로냐인데 후반기 첫 빅6 대전부터 승리.

23/2/26
토트넘 핫스퍼 스타디움, 런던
22/23 프리미어리그 25R
토트넘 2-0 첼시

콘테 감독이 없고 승률 100%의 스텔리니 코치가 대신 맡으니까 정말 진리다. 인테르 시절부터 이어지는 8전 8승의 승률. 상대가 비록 10위 안팎의 중위권 팀이긴 하나 그래도 언제 그 거액의 영입 효과가 터질지 모르니 토트넘 입장 에서는 중요한 승리.

23/2/26
웸블리 스타디움, 런던
22/23 카라바오컵 결승전
맨유 2-0 뉴캐슬

퍼거슨 경의 참관 앞에서 맨유가 그리 어렵지 않게 우승을 차지하였다. 시즌 초반 2경기는 최악이었지만 그 이후 정신차리고 보란듯이 반전을 시킨 텐 하흐 감독은 퍼거슨 이후 최고의 맨유 감독으로 평가받기에 현재까지는 충분. 이제 시작일 뿐이고 올 시즌 아직까지 다른 3가지 대회들도 모두 우승 도전이 가능하다.

한 편 뉴캐슬은 아쉽겠지만 어떤 대회건 결승에 올랐다는 사실 자체가 중요하며 박수를 받을 만 하다.

23/2/26
산 시로, 밀라노
22/23 세리에A 24R
밀란 2-0 아탈란타

밀란의 4th 킷이라고 한다. 사실 4th 킷이라는 것 자체가 굳이 존재해야 하는지는 모르겠지만 ~~새로 만들기 귀찮으니깐~~ 이 유니폼을 입고 중요한 경기에서 승리를 가져갔으며 즐라탄이 마침내 그라운드에 복귀하였다. 티아우가 낀 밀란의 벽은 4경기 연속 효과를 보는 중.

23/2/27
스타디오 올림피코, 로마
22/23 세리에A 24R
라치오 1-0 삼프도리아

2000년 안팎으로 라치오의 전성기를 함께 했던 선수 출신 스탄코비치가 또 다른 친정팀을 방문했다. 그의 팀 삼프도리아는 여전히 최하위로 강등 확률이 높아지는 중.

23/2/28
스타디오 죠반니 지니, 크레모네세
22/23 세리에A 24R
크레모네세 2-1 로마

코파 이탈리아에서도 로마를 꺾고 4강까지 올라 있는 크레모네세는 리그에서 0승이었으나 그 로마를 또 제물 삼아 천적 관계를 형성하며 24라운드만에 첫 승을 거두었다. 이것도 화제이긴 한데 경기 중에 대기심과 무리뉴의 설전은 그냥 넘어갈 문제가 아니었다. 결국 무리뉴의 퇴장으로 마무리되긴 했지만 파울 상황에 대해 문의좀 했다고 대기심이 감독한테 "네 일이나 신경 써라, 여기 모두가 당신을 음해하고 있어 집으로 돌아가" 라는 발언을 날리는 건... 그 말을 듣고 과연 신사적으로 대처할 수 있는 감독이 얼마나 될지...?

23/2/28
알리안츠 스타디움, 토리노
22/23 세리에A 24R
유벤투스 4-2 토리노

이거 혹시나 토리노가 승리하나 느낌이 들기도 한 흐름으로 가다가 결국에는 토리노 더비만큼은 거의 항상 승리를 챙긴 유베. 사실 이것도 리버풀-에버튼 머지사이드 더비 느낌. 토리노FC에서 건너온 브레메르도 득점에 가담하며 비수를 꽂았다. 그리고 또 다른 기쁜... 글쎄 이제는 유베 팬들에게 기쁜 소식인지는 잘 모르겠다. 이번에 새로 영입한 폴 포그바라는 선수가 그라운드에 처음 모습을 드러냈다. 올 시즌 출전 기록이 1도 없으니 겨울 이적 시장 아니고 작년 여름 이적 시장때 영입한거 맞겠쥬? 설마...

23/2/28
애쉬톤 게이트, 브리스톨
22/23 FA컵 16강
브리스톨 0-3 맨시티

맨시티는 64강에서 첼시, 32강에서 아스날을 물리쳤고 이번 16강에서는 그다지 어렵지 않은 2부 리그 팀을 만나 어렵지 않게 승리를 가져갔다. 앞서 브라이튼, 블랙번, 풀럼 등이 8강에 안착.

234

23/3/1
에미레이츠 스타디움, 런던
22/23 프리미어리그 7R (순연경기)
아스날 4-0 에버튼

얼마전 에버튼의 감독 교체빨에 당하면서 리그 우승의 꿈에 살짝 방해를 입었던 아스날이었는데 이번 순연 경기를 통하여 제대로 복수를 해주었다. 이젠 맨시티와 같은 경기 수를 맞추며 +5점 차이가 되었다.

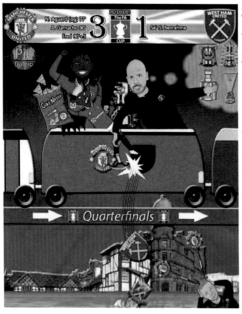

23/3/1
올드 트래포드, 맨체스터
22/23 FA컵 16강
맨유 3-1 웨스트햄

3월이 밝았다. 맨유의 흑역사 감독으로 기억되는 모예스의 팀에게 패할 뻔 했으나 겨우 역전승을 거두며 8강에 안착하였다. 지난 주 EFL 카라바오컵에서 첫 트로피를 획득한 텐하흐의 맨유인데 사실 컵대회의 중요도로 따지면 FA컵의 가치가 더욱 높으니 여기서도 당연히 우승을 노려봐야 할 것이다. 8강 팀들 중 액면가 상 우승을 다툴 만한 후보는 시티 말고는 없기에 충분히 가능한 시나리오.

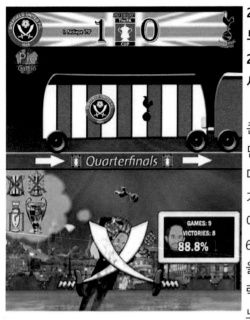

23/3/1
브레몰 레인, 셰필드
22/23 FA컵 16강
셰필드 유나이티드 1-0 토트넘

콘테 부재 시 승률 100%를 이어가
던 스텔리니 감독 대행의 레코드가
마침내 깨졌다. 그게 또 하필... 비기
기라도 하면 재경기라도 가는 FA컵
에서 아예 탈락해 버리고 말았다.
64강부터 연속으로 비 1부 리그팀들
을 만나고 첼시, 아스날, 리버풀은 탈
락해서 이번엔 뭔가 해볼만하다라고
느낄수도 있었겠지만 게임 오버.

리그나 챔피언스리그에서 우승을 하지 못하는 이상 올 시즌도 무관이 유력.

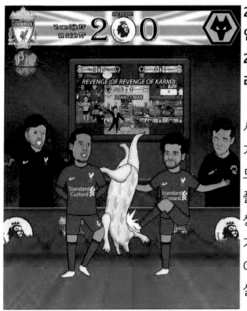

23/3/1
안필드, 리버풀
22/23 프리미어리그 7R (순연경기)
리버풀 2-0 울버햄튼

시즌 첫 번째 만남이 됐어야할 경기
가 무려 네 번째 만남이 되었다 그것
도 두 달에 가까운 기간 내에. 리버
풀이 FA컵에서 석연찮은 판정으로
생긴 재경기 에서 승리한 걸 울브스
가 리그에서 완승으로 설욕했다가
이번엔 리버풀이 리턴매치에서 재
설욕한 셈.

23/3/2
산티아고 베르나베우, 마드리드
22/23 코파 델 레이 4강 1차전
레알 마드리드 0-1 바르셀로나

결승 가는 길목에서 엘 클라시코 대진이 성사 됐는데 자책골 하나로 승부가 갈렸다. 지난 수페르코파 데 에스파냐 결승에 이어 엘 클라시코 2연승을 거두고 있는 사비의 바르샤. 이제 조만간 캄프 누에서 리그 맞대결이 기다리고 있다.

23/3/3
디에고 아르만도 마라도나, 나폴리
22/23 세리에A 25R
나폴리 0-1 라치오

뒤에 누가 따라오는지도 모르고 그저 혼자 이기적으로 (?) 달려나가기만 했던 올 시즌의 나폴리 가끔은 좀 쉬어가는 걸로...! 그런다고 우승 못 할 확률이 희박하니 인테르 시절부터 평소에 보면 잘하는 것 같지도 않은데 가끔 중요한 경기나 중요한 순간 때마다 득점을 터드려주는 미들라이커 베시노가 7연승을 달리던 압도적 선두 나폴리를 상대로 여기서 터뜨리며 시즌 첫 홈 패배를 안겼다.

23/3/4
에티하드 스타디움, 맨체스터
22/23 프리미어리그 26R
맨시티 2-0 뉴캐슬

이제 경기 수를 똑같이 맞추고도 -5
점 뒤지는 맨시티 입장에서는 그저
열심히 따라가야 한다. 지난 주 카라
바오컵에서 준우승 은메달을 달고
돌아온 뉴캐슬을 상대로 승리는 따
냈고 오늘 홀란드는 고작 1도움에
그쳤다.

23/3/4
에미레이츠 스타디움, 런던
22/23 프리미어리그 26R
아스날 3-2 본머스

아니 본머스한테 홈에서 실족을 할
거라곤 생각도 못했을 것이다. 안 그
래도 좀전에 시티는 이겼는데 아스
날 본인들이 여기서 져버리면 -2점
차... 하지만 파티의 만회골을 시작으
로 놀라운 퍼포먼스를 보인 거너스
는 결국 넬슨의 극장골로 챔스 우승
급 경기를 만들며 5점차를 유지하였
다.

23/3/4
스탬포드 브릿지, 런던
22/23 프리미어리그 26R
첼시 1-0 리즈

6연속 무승의 수렁에 빠져있던 첼시가 포파나의 결승골로 마침내 승리하였다. 6연속 무승의 주된 원인은 심각한 공격력이었다. 오늘도 공격수가 넣은건 아니고 수비수가 넣은 거지만 누가 넣든 어쨌든 넣어야 이렇게 이기지...

23/3/4
몰리뉴 스타디움, 울버햄튼
22/23 프리미어리그 26R
울버햄튼 1-0 토트넘

스텔리니 감독 대행의 약빨은 이제 떨어진 것 같다. 주중 FA컵 탈락에 이어 연패를 당하며 승률이 100%에서 80%로 하락. 그 경기와 아주 비슷한 방식으로 80분 언저리에 선제 결승골을 내주며 무득점 패배를 당했다.

23/3/4
아르테미오 프란키, 피렌체
22/23 세리에A 25R
피오렌티나 2-1 밀란

오늘은 피오렌티나의 전 주장 다비데 아스토리의 기일... 그가 떠난지 벌써 5년이 흘렀다.
밀란은 티아우 벽을 세운 이후 챔스에서도 8강에 진출하고, 리그도 괜찮게 하고 있다가 여기서 어그러지고 말았다. 윙백이지만 윙포워드같은 활약을 심심찮게 펼치는 테오가 기어이 만회골을 터뜨리긴 했지만 너무 늦었다.

23/3/5
안필드, 리버풀
22/23 프리미어리그 26R
리버풀 7-0 맨유

???!!! 전반에 한 골로 마쳤는데 후반에 이 무슨...? 올 시즌 마지막 노스웨스트 더비가 될 피르미누의 마무리 피날레까지... 리버풀이 1895년 맨유에게 7-1 승리 를 거둔 이후 128년만에 최다골 차 승리를 갱신하였고, 로비 파울러가 가지고 있던 역대 리버풀 소속 PL 최다득점 128골 기록을 살라가 갈아치우며 여러 모로

새 역사를 썼다. 한 편 3라운드 OT에서 리버풀을 상대로 맨유 감독으로써 첫 승을 거뒀던 텐 하흐인데 오늘 안필드로 와서 최악의 악몽을 겪었다.

23/3/5
쥬세페 메아짜, 밀라노
22/23 세리에A 25R
인테르 2-0 레체

이번 주는 다른 경쟁 팀들 다 어려운 경기 펼칠 때 혼자 비교적 쉬운 경기 치르는 인테르. 그 기회를 놓치지 않았다. 미키와 캡틴 토로의 득점으로 무난히 승리.

23/3/5
스타디오 올림피코, 로마
22/23 세리에A 25R
로마 1-0 유벤투스

센터백 만치니의 대포알같은 선제 결승골은 10년전이었던 12/13시즌 이곳 올림피코에서 유베를 상대로 터뜨렸던 토티를 떠올리게 했다. 그리고 막판에 교체 투입되어 1분만에 어처구니없는 발길질로 다이렉트 퇴장 당한(이것만 보면 발로텔리) 모이스 켄. 결승골의 주인공 만치니의 도발에 넘어 가고 말았고 그렇게 로우

킥을 갈기는 장면 역시도 09/10 코파 이탈리아 결승에서 발로텔리를 향한 토티의 킥을 떠올리게 했다. 중요한 경기에서도 승리를 가져간 무리뉴의 로마는 홈 5연속 무실점 승리를 챙기고 있다.

23/3/7
스탬포드 브릿지, 런던
22/23 UCL 16강 2차전
첼시 2-0 도르트문트
통합 2-1

다른 때의 첼시라면 모르겠으나 올 시즌의 첼시라면 좀처럼 기대하기 어려운 반전. 올 해 한 경기에서 멀티골을 넣은 적이 한 번도 없던 첼시는 오늘 경기에서 멀티골을 넣어야만 8강 행이 가능했는데 그걸 딱 해냈다. 대반전을 이뤄낸 포터는 이거 한 번으로 해리포터로 등극. 반면 분데스리가에서 바이언의 11연패를 위협하고 있던 도르트문트는 매우 실망스러운 모습.

23/3/7
에스타디우 다 루즈, 리스본
22/23 UCL 16강 2차전
벤피카 5-1 클럽 브뤼헤
통합 7-2

올 시즌 다크호스 벤피카는 홈으로 돌아와서 더 무서운 파워를 보여주며 아주 무난하게 8강에 안착했다. 이번엔 월드컵 16강에서 해트트릭을 하며 포르투갈의 라이징 스타로 떠올랐던 곤살로 하무스가 멀티골을 기록했다.

23/3/8
토트넘 핫스퍼 스타디움, 런던
22/23 UCL 16강 2차전
토트넘 0-0 밀란
통합 0-1

토트넘에게 12년만에 리벤지 성공, 그리고 11년만에 8강 진출을 이뤄냈다. 아직 얼굴이 안 나오고 있지만 티아우의 벽은 유럽 대항전 두 경기에서 모두 통했다. 반면 세리에 시절 밀란을 상대로 수많은 승리를 거두고 1패밖에 없던 콘테 감독은 여기서 고비를 넘기지 못하며 유럽 대항전에서 자신의 가치를 높이는데 실패했다. 이제 리그 우승을 하지 못하면 역시나 올 시즌도 무관.

23/3/8
알리안츠 아레나, 뮌헨
22/23 UCL 16강 2차전
바이에른 뮌헨 2-0 PSG
통합 3-0

올 시즌 바이언의 모든 챔스 경기를 볼 때마다 뭔가 당연하게 이기는 느낌인데 이것도 역시 마찬가지. 상대팀에 월드컵 우승을 다툰 메시와 음바페가 한 팀에서 뛰고 있어도 소용없다. 그래서 마지막까지 긴장감 측면에서 동시간대에 했던 토트넘-밀란이 더 꿀잼. 매년 이어지는 PSG의 트레블 도전은 올 시즌의 경우 어차피 쿠프 드 프랑스 16강에서부터 이미 어긋났지만 매년 어긋나던 챔피언스리그 녹아웃 스테이지에서 어김없이 아웃.

23/3/9
스타디오 올림피코, 로마
22/23 UEL 16강 1차전
로마 2-0 레알 소시에다드

이 대회 우승으로 유럽 대항전 2연
패를 노리고 있는 로마는 상대가 만
만찮은 라리가 팀이라고 생각했는데
의외로 일단 1차전 완승으로 청신호
가 켜졌다.

23/3/9
에스타디우 조세 알바라데, 리스본
22/23 UEL 16강 1차전
스포르팅 2-2 아스날

거너사우루스 등장!
19년만의 프리미어리그 우승 찬스를
잡고 있는 아스날이 이 대회를 어떻
게 임할지는 모르겠으나 일단 원정
가서 썩 나쁘지 않은 결과를 가져왔
다.

23/3/9
알리안츠 스타디움, 토리노
22/23 UEL 16강 1차전
유벤투스 1-0 프라이부르크

다음 시즌 챔피언스리그 진출을 위해서는 승점 대량 삭감된 리그보다 유로파 우승이 상대적으로 수월해 보이는 유베. 좀처럼 보기 드문 디 마리아의 헤딩 결승골로 일단 일개 분데스리가 팀을 물리쳤지만 홈에서 한 골차라 긴장의 끈을 놓을 수 없다.

23/3/9
올드 트래포드, 맨체스터
22/23 UEL 16강 1차전
맨유 4-1 레알 베티스

3월 초인데도 불구하고 화면 상으로 봐도 엄청 추운게 눈에 보일 정도의 뭔가 영국스러운 날씨 속에서 맨유는 홈팀답게 아랑곳하지 않고 완승을 따냈다. 펩 시대 이전의 맨시티 감독으로 유명한 페예그리니 감독은 맨시티 정신으로 경기에 임했겠지만 전반전만 좋았다.

23/3/10
스타디오 알베르토 피코, 스페치아
22/23 세리에A 26R
스페치아 2-1 인테르

전반 이른 시간에 잡은 PK 찬스를 라우타로가 놓칠 때부터 쎄하더니 밀란 레전드 파올로 말디니의 아들 다니엘한테 실점. 그리고 늦은 시간 둠프리스가 PK 얻어내서 기껏 동점 만들었더니 둠프리스가 PK를 내주는 원맨쇼를 펼쳤다. 인테르는 어제가 창단 기념일이었는데 동시에 챔피언스리그 16강 2차전 앞두고 잔칫상 아주 잘~ 치뤘다.

23/3/11
바이탈리티 스타디움, 본머스
22/23 프리미어리그 27R
본머스 1-0 리버풀

PK 하도 차본지가 오래 됐다보니 넣는 방법 잊었나... 올 시즌 리그에서 처음으로 PK를 얻은 리버풀인데 그걸 놓쳐 버렸고 지난 경기에서 맨유에게 7-0, 그리고 전반기 본머스 상대로 9-0으로 승리했던 리버풀. 하지만 다른 경기에서 한 골도 못 넣고 진다면 그게 무슨 소용인가? 비효율 축구의 표본을 보여주고 있다.

23/3/11
킹 파워 스타디움, 레스터
22/23 프리미어리그 27R
레스터 1-3 첼시

어제 창단 기념일을 맞이한 첼시는 그래도 올해 처음으로 한 경기 3골을 터뜨리며 잔칫상 치레를 했다. 참 아이러니 하게도 티아구 실바가 빠진 이후 3연승을 거두고 있다.

23/3/11
토트넘 핫스퍼 스타디움, 런던
22/23 프리미어리그 27R
토트넘 3-1 노팅엄 포레스트

케인의 멀티골 그리고 드디어...! 손흥민의 리그 99호 골이 터졌다. 스포티비의 손흥민 100호골 이벤트 공지는 벌써 몇 달 째 띄우고 있는지 모르겠는데 드디어 이제 한 발 남았다.

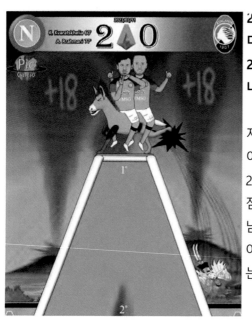

23/3/11
디에고 아르만도 마라도나, 나폴리
22/23 세리에A 26R
나폴리 2-0 아탈란타

저것이 현 세리에A 1위와 2위의 차이이다. 나폴리 본인들은 승리하고 2위였던 인테르가 어제 패하면서 승점 차이가 무려 18점 차로 벌어졌다. 남은 12경기 중 반타작이나 혹은 그 이하로 이겨도 스쿠데토가 가능하다는 얘기.

23/3/11
셀허스트 파크, 런던
22/23 프리미어리그 27R
크리스탈 팰리스 0-1 맨시티

시티가 은근 고전했지만 PK로 홀란드의 리그 28호 골로 겨우 승리를 챙겼다.

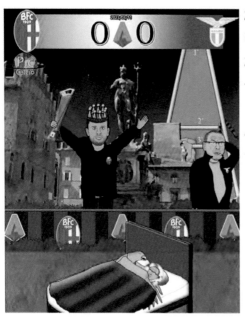

23/3/11
레나토 달라라, 볼로냐
22/23 세리에A 26R
볼로냐 0-0 라치오

2월 이 달의 감독상을 수상하며 감독으로써의 재능을 인정 받고 있는 티아고 모따. 얼마 전 2위이자 자신의 트레블 영광을 함께 한 친정팀 인테르도 잡은 데 이어서 ,이긴 건 아니지만 2위로 올라갈 찬스였던 라치오의 발목까지 잡아냈다.

23/3/12
크레이븐 코티지, 런던
22/23 프리미어리그 27R
풀럼 0-3 아스날

트로사르의 어시스트 해트트릭으로 거너스는 완승을 거두며 어제 겨우 승리한 맨시티와의 승점 간격을 유지하며 선두를 이어간다.

23/3/12
올드 트래포드, 맨체스터
22/23 프리미어리그 27R
맨유 0-0 사우스햄튼

레알 시절 단 한 번도 다이렉트 레드 카드를 받은 적이 없던 카세미루가 맨유에 와서 첫 시즌에 벌써 두 번째 다이렉트 레드 카드를 받았다. 지난 2월 4일 홈에서의 팰리스전에서는 단체 충돌하는 과정에서 상대 선수 목을 졸라서 그랬고, 이번엔 위험한 태클로... 그 때는 이기고 있던 상황이었지만 이번엔 전반전부터 발생한 변수가 독이 됐는지 상대가 꼴찌임에도 불구하고 팀은 득점하는데 실패하며 실족을 하고 말았다.

23/3/12
스타디오 올림피코, 로마
22/23 세리에A 26R
로마 3-4 사수올로

홈에서 5연속 클린시트로 연승을 달리고 있었던 로마가 이 경기를 이렇게 스펙타클한 형태로 패할 거라고는 좀처럼 예상하기 쉽지 않았다. 초반부터 꼬인데다가 주중 유로파 리그에서 득점을 했던 쿰불라가 이번엔 다이렉트 퇴장을 당하는 트롤 행위를 한게 컸다. (물론 베라르디의 도발성 행위가 있긴 했으나 넘어갔으면 아니 됐다) 뒤늦은 시간 바이날둠의 로마 데뷔골이 터졌지만 팀의 패배를 막지는 못해 빛이 바랬다.

23/3/12
알리안츠 스타디움, 토리노
22/23 세리에A 26R
유벤투스 4-2 삼프도리아

전반만 해도 꼴찌의 삼프도리아가 순식간에 두 골을 따라 잡는 등 아주 스펙타클한 경기가 펼쳐졌지만 올 시즌 커리어 하이를 찍고 있는 라비오의 멀티골 활약으로 결국 유베가 승리.

23/3/13
산 시로, 밀라노
22/23 세리에A 26R
밀란 1-1 살레르니타나

월드컵에서만 보다가 월드컵 브레이크가 끝나고 세리에A 무대에 진출해서 밀란을 상대로 데뷔전을 치뤘던 오초아인데 이번에도 그때처럼 좋은 모습을 보여주었다. 그리고 이번엔 산 시로에서 결과까지 냈다. 밀란은 여기서 또 실족을 하며 2,3위로 올라갈 수 있는 밥상을 걷어차고 말았다.

23/3/14

에스타디우 두 드라강, 포르투

22/23 UCL 16강 2차전

포르투 0-0 인테르

통합 0-1

다른 건 몰라도 골대는 인테르 편이었다. 그 정도 행운이 섞이지 않았다면 인테르가 8강을... 가더라도 90분 내에 갈 순 없었을 것 같다. 어쨌든 통합 두 경기를 무실점으로 잘 틀어막은 인테르는 10/11시즌 이후 12년 만에 8강 진출 쾌거를 이뤄냈다.

23/3/14

에티하드 스타디움, 맨체스터

22/23 UCL 16강 2차전

맨시티 7-0 라이프치히

통합 8-1

1차전 비기고 있으면서도 교체 카드를 쓰지 않은 펩 감독은 역시 다 생각이 있었다! 챔피언스리그 토너먼트 무대에서 혼자 한 경기 5골을 넣은 홀란드... 과거에는 11/12 메시(16강 vs 레버쿠젠 7-1)가 있었고 14/15 루이즈 아드리아누(조별 리그 vs 바테 7-0) 전례가 있다. 그리고 시티 팬들에게는 초치는 얘기일 수도 있지만 한 경기 7골을 넣고 결국에는 빅이어를 들어 올린 전례가 없다. (14/15 펩의 바이에른 뮌헨 7-0 샤흐타르 포함) 이 징크스를 펩이 과연 올 시즌에 깰 수 있을지 전세계가 그 결과를 주목하고 있다.

23/3/15
디에고 아르만도 마라도나, 나폴리
22/23 UCL 16강 2차전
나폴리 3-0 프랑크푸르트
통합 5-0

나폴리는 1차전 스코어보다 더 크게 승리하면서 구단 역사상 첫 챔피언스리그 8강에 진출하였다. 스쿠데토가 사실상 예약인 상황에서 정말 역대급 시즌을 보내고 있다. 옥의 티는 나폴리 본인들이 아니고 나폴리 도시에 와서 파괴하고 난동부리는 프랑크푸르트 팬들이다. 지난 2022 월드컵때 모로코 팬들이 타국에서 부린 딱 그 모습.

23/3/15
산티아고 베르나베우, 마드리드
22/23 UCL 16강 2차전
레알 마드리드 1-0 리버풀
통합 6-2

리버풀은 영혼까지 탈탈 털렸던 안 필드에서 보여준 1차전과는 달리 오히려 베르나베우에서 멀쩡한 경기를 하다가 석패를 당했다. 08/09 젊은 캡틴 제라드 vs 하얀 호구 시절 이후로 붙는 챔스의 제왕 레알 마드리드가 콥에게는 1무 7패로 너무나 힘들다.

22/23 UEFA 챔피언스리그 8강 대진

레알 마드리드 - 첼시

맨시티 - 바이에른 뮌헨

밀란 - 나폴리

벤피카 - 인테르

23/3/16
유로파 파크 슈타디온, 프라이부르크
22/23 UEL 16강 2차전
프라이부르크 0-2 유벤투스
통합 0-3

유베는 홈에서 한 골 차 승리라 긴장을 늦추지 말아야 했지만 전반 막판 상대 퇴장+PK 획득이 결정적으로 작용하며 어렵지않게 승리를 따내고 8강에 안착하였다.

23/3/16
베니토 비야마린, 세비야
22/23 UEL 16강 2차전
레알 베티스 0-1 맨유
통합 1-5

래쉬포드의 시원한 킥 한 방으로 원정에서도 승리를 챙기며 맨유도 8강에 무난히 안착하였다.

23/3/16

아노에타

22/23 UEL 16강 2차전

레알 소시에다드 0-0 로마

통합 0-2

무리뉴의 로마는 1차전 홈 완승을 토대로 2차전을 무실점으로 잘 막아내며 8강에 안착하였다.

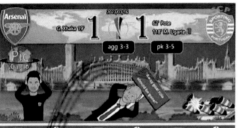

23/3/16

에미레이츠 스타디움, 런던

22/23 UEL 16강 2차전

아스날 1-1 스포르팅

통합 3-3 (승부차기 3-5)

자카의 선제골로 앞서 나갔지만 스포르팅의 엄청난 초장거리 동점골이 터져 연장에 승부차기까지 가게 되었다. 그리고 최후의 승자는 결국 스포르팅이었다. 과거에 벵거 감독이 원정골은 시대에 뒤떨어진 룰이라며 폐지되어야 한다고 소신 발언한 적이 있는데 그 때는 "애초에 정해져 있는 룰에 의해 탈락해놓고 불평하는거 아니냐" 라는 의견이 있었다. 지금은 그의 바람대로 됐는데 아스날이... 음 여기서 유럽 대항전 여정을 마감하게 되었고 이제 한 군데에만 집중해서 19년 만의 프리미어리그 우승을 노려야.

23/3/18
세인트매리스 스타디움, 사우스햄튼
22/23 프리미어리그 28R
사우스햄튼 3-3 토트넘

겨울 이적 시장 영입생 페드로 포로 가 데뷔골 넣고 케인은 늘 하던대로 했고, 그리고 겨울 아니고 여름 이적 시장 영입생인 페리시치가 드디어 데뷔골을 넣었는데... 그래서 토트넘 이 오늘은 드디어 이기나 했는데 이 걸 비기는 토트넘. 이틀 전 생일을 맞이한 구너 월콧에게 만회골 허용 할 때부터 쎄~했는데 역시 그 불길 한 예감은 틀리지 않았다.

23/3/18
스탬포드 브릿지, 런던
22/23 프리미어리그 28R
첼시 2-2 에버튼

최근 챔피언스리그 8강 진출 포함하 여 3연승을 거두며 이제 '해리 포터' 로 등극하나 싶었는데 여기서 발목 잡히고 말았다. 단지 오늘 결과만 놓고 보면 에버튼의 어웨이 유니폼 마냥 핑크빛 꽃길은 에버튼에게 펼 쳐 졌다.

23/3/18
에티하드 스타디움, 맨체스터
22/23 FA컵 8강
맨시티 6-0 번리

이견의 여지 없이 시티의 레전드라고 할 수 있는 콤파니가 챔피언쉽에서 잘 나가는 번리 감독으로써 에티하드 스타디움에 돌아왔다. 경기 전에 많은 환대를 받았고 경기 후에 환대를 받은 건 역시 홀란드였다. 주중 챔피언스리그에서 혼자 5골 넣더니 이번에는 해트트릭을... 뭐랄까 너무 말도 안돼서 이제는 감흥이 사라졌다. 그래도 팀으로 보면 번리가 라이프치히보다 한 골 덜 먹혔다.

23/3/18
다치아 스타디움, 우디네
22/23 세리에A 27R
우디네세 3-1 밀란

즐라탄은 페널티킥 성공으로 세리에A 역대 최고령 득점자(41세 166일) 기록을 세웠다. 2007년 5월 그 때도 밀란 선수였던 코스타쿠르타(41세 25일)의 기록을 갱신하였다. 하지만 팀은 엉망스러운 경기를 하며 완패.

258

23/3/19

올림피코 그란데 토리노, 토리노

22/23 세리에A 27R

토리노 0-4 나폴리

은돔벨레의 세리에 데뷔골까지 터지면서 오늘도 올렸다 스쿠데토 확률을. 이제 좀 이따 저녁 때부터 펼쳐질 하위권 팀들(?)의 경기들 라치오-로마, 인테르-유벤투스 등을 아주 편안하게 지켜보면 된다.

23/3/19

에미레이츠 스타디움, 런던

22/23 프리미어리그 28R

아스날 4-1 크리스탈 팰리스

선두를 달리는 거너스가 무난하게 승리하였다. FA컵 8강까지 오르는 바람에 이 주에 일정 상 리그가 아닌 다른 곳에 기웃거려야만 했던 맨시티. 그들이 4강행 티켓 따오는 동안 승점 차이를 더욱 벌렸다. 한 경기를 더 치뤘다 하더라도 경기를 밀린 팀이 심리적 압박을 받아 밀린 경기에서 본전을 찾지 못하는 경우가 있기 때문에 지금은 아스날에게 좋은 상황.

23/3/19
올드 트래포드, 맨체스터
22/23 FA컵 8강
맨유 3-1 풀럼

선제골의 주인공 미트로비치는 완전 역적으로 변했다. 윌리안이 핸드볼로 PK+퇴장 당한거야 뭐 그럴 수 있는 일이다. 하지만 본인도 별 말 없이 수긍하는 마당에 옆에 있던 미트로비치가 갑자기 주심한테 급발진하는 바람에 풀럼은 두 명을 잃고 맨유는 그 PK를 성공.이후 단 2분만에 손쉽게 역전골이 터졌고 맨유가 이기

기 너무 쉬운 상황으로 흘러갔다. 맨유는 FA컵에서 신기하게도 64강부터 모든 경기를 올드 트래포드에서 3-1로 승리하였다.

23/3/19
스타디오 올림피코, 로마
22/23 세리에A 27R
라치오 1-0 로마

이번엔 자카니의 결승골로 라치오가 또 다시 로마 더비 승리자가 되며 올 시즌 더블을 달성하였다. 로마의 경우 지난 사수올로전에서는 쿰불라의 전반 퇴장 때문에 애를 먹다가 결국 패했는데 이번엔 평소 믿을맨이었던 이바녜즈가 그 역할을 대신했다. 그리고 경기 종료 후 누가 로마 더비 아니랄까봐 충돌이 일어났고 싸움의 주인공이었던 마루시치와 크리스탄테는 쌍방 퇴장 당했다.

23/3/19
쥐세페 메아짜, 밀라노
22/23 세리에A 27R
인테르 0-1 유벤투스

인테르는 유베에게 안 그래도 상대 전적이 밀리는데 올 시즌의 경우는 암흑기를 겪고 있는게 아님에도 불구하고 무득점으로 더블을 내줬다는 것은 그저 파란 호구라고 밖에 할 말이 없다. 전반기 맞대결에서도 코스티치의 왼발이 2도움을 만들어냈는데 이번엔 결승골로 데르비 디탈리아의 강자로 자리 잡는 듯. 이로써

유베는 15점 삭감을 안고도 챔스권에 -7점차까지 따라 붙었다. 그리고 경기 종료 후 누가 데르비 아니랄까봐 충돌이 일어났고 싸움의 주인공 담브로시오와 파레데스는 쌍방 퇴장.

23/3/19
캄프 누, 바르셀로나
22/23 라리가 26R
바르셀로나 2-1 레알 마드리드

비기기만 해도 바르샤의 올 시즌 라리가 우승 가능성은 높았으나 버저비터로 역전승을 거두면서 더더욱 높였다. 12경기 남은 상태에서 12점차로 벌려놓고 상큼하게 A매치 브레이크로 들어갔다. 유럽대항전에서 못하고 리그만 잘하고 있는 사비의 바르샤는 유럽 대항전에서만 잘하고 리그에서 못하고 있는 레알을 상대

로 각각 다른 대회에서 엘 클라시코 3연승을 가져갔다.

23/3/23

디에고 아르만도 마라도나, 나폴리
유로 2024 예선 C조 1차전
이탈리아 1-2 잉글랜드

세리에A 1위팀의 땅에서 케인이 잉글랜드 역대 최다 득점자 대기록을 세웠음을 알렸다. 반면 월드컵은 등지고 있지만 그래도 유로에서만큼은 디펜딩 챔피언인 이탈리아는 아따 첫 판부터 홈에서 장난질? 그나마 그 와중에 건질만한 요소는 레테기라는 갑툭튀 혜성의 등장이었다. 이탈리아에서 뛴 적도 심지어 거주한 적도 없는 이 99년생 공격수(보카 주니어스에서 티그레로 임대 중)는 아주리 A 매치 데뷔골에서 데뷔골을 넣었다.

23/3/23

스타디우 조세 알바라데, 리스본
유로 2024 예선 J조 1차전
포르투갈 4-0 리히텐슈타인

벨기에의 황금세대를 오래 이끌었던 로베르토 마르티네즈 감독이 포르투갈의 영광을 이끌었던 산투스 감독 후임으로 새 출발한다. 하지만 역시 포커스는 중동 리거가 된 호날두였다. 올해 A매치 데뷔 20주년을 맞이하는 호날두는 일단 출전만으로 전 세계 최다 기록을 세웠고 대표팀 은퇴할때까지 200경기를 넘어 계속 될 것이다. 그리고 득점 행진도 20년째 단 한 해도 거르지 않은 채 119, 120호골을 터뜨리며 계속 이어지고 있다. 득점 부문 역시도 그의 위에 아무도 없다.

23/3/23

Est. 마스 모누멘탈, 부에노스 아이레스

친선 경기

아르헨티나 2-0 파나마

감격스러운 지난 2022 월드컵 이후 3개월만에 월드 챔피언들이 뱃지와 별 하나를 더 추가해서 필드 위로 모였다. 그 중에서도 역시 주목 대상은 메시였고 경기가 끝나갈 무렵 자신의 커리어 통산 800호 골을 멋진 프리킥으로 터뜨리며 또 하나의 역사를 썼다.

23/3/24

문수 경기장, 울산

친선 경기

대한민국 2-2 콜롬비아

대한민국도 지난 벤투 호의 추억을 뒤로 하고 클린스만 호로 새 출발. 지난 두 번의 월드컵에서 승리의 요정이었던 김영권은 A매치 100번째 출전으로 센츄리 클럽에 가입하였다. 전반에 손흥민쇼가 펼쳐졌지만 후반에 하메스의 만회골을 시작으로 결국 동점으로 끝났다. 하지만 클린스만 호의 첫 선은 합격점.

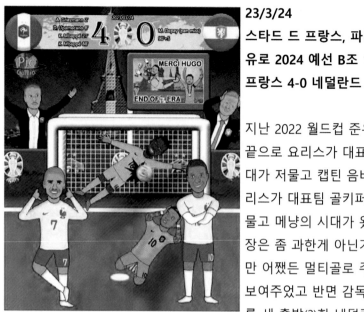

23/3/24
스타드 드 프랑스, 파리
유로 2024 예선 B조 1차전
프랑스 4-0 네덜란드

지난 2022 월드컵 준우승 피날레를 끝으로 요리스가 대표팀 주장인 시대가 저물고 캡틴 음바페의 시대, 요리스가 대표팀 골키퍼인 시대도 저물고 메냥의 시대가 왔다. 음바페 주장은 좀 과한게 아닌가 싶기도 하지만 어쨌든 멀티골로 주장의 포스를 보여주었고 반면 감독 재교체로 나름 새 출발(?)한 네덜란드인데 이건

뭐... 첫 경기부터 '쿠만 아웃' 소리가 나올 법 했고 차기 감독은 다시 반 할?

23/3/24
프렌즈 아레나, 스톡홀름
유로 2024 예선 F조 1차전
스웨덴 0-3 벨기에

지난 2022 월드컵에서의 악몽은 잊어(줘)라...! 루카쿠는 가고 20/21시즌 밀라노의 괴물왕 노릇을 했던 그 루카쿠가 해트트릭으로 복귀 신고를 했다. 루카쿠 개인적으로는 상대 팀에 즐라탄이 있었기 때문에 더 뜻 깊을 것이다. 즐라탄은 41세의 나이로 유로 예선 출전 최고령 기록을 세웠다. 1983년 이탈리아의 골키퍼 디노 초프(40세 90일)를 넘어섰다.

23/3/26
웸블리 스타디움, 런던
유로 2024 예선 C조 2차전
잉글랜드 2-0 우크라이나

첫 판 이탈리아 원정에서 승리를 거둔 잉글랜드는 홈에 와서도 무난한 승리를 거두며 출발이 좋다. 이미 저번에 잉글랜드 역대 A매치 최다 득점자가 된 케인은 아직 30세가 되기도 전인데 과연 몇 골까지 기록한 채 은퇴할지…? 우크라이나에게는 별 다른 할 말이 없다 그저 하루라도 빨리 평화를 되찾기만을.

23/3/26
타칼리 내셔널 스타디움, 타칼리
유로 2024 예선 C조 2차전
몰타 0-2 이탈리아

토날리의 2도움, 두 마테오의 득점으로 무난히 첫 승을 챙겼다. 지난 잉글랜드와의 첫 경기 패하는 와중에도 레테기라는 신성의 등장은 위안거리였는데 A매치 두 번째 경기에서 두 번째 득점이라니 아주리의 팬들은 앞으로 기대를 해봐도 좋을 듯 하다 그리고 세리에A 진출까지. 이탈리아 선수에게 세리에A 진출이라는 말이 어색하지만 이 선수에게는 적용이 된다.

23/3/26
스타드 드 룩셈부르크, 룩셈부르크
유로 2024 예선 J조 2차전
룩셈부르크 0-6 포르투갈

전세계 A매치 최다 득점자에다가 최다 출전자 타이틀 까지 다 가지게 된 호날두는 이제 두 부문 각각 얼마나 늘려 나갈지 관심사다. 유로 예선 첫 두 경기에서 비교적 약팀을 만났지만 출전 +2, 득점 +4를 늘리고 이제 직장인 사우디로 돌아가는 호날두.

23/3/27
아비바 스타디움, 더블린
유로 2024 예선 B조 2차전
아일랜드 0-1 프랑스

14년 전 앙리 신의손 사건 때문에 프랑스만 만나면 항상 이를 바득바득하는 아일랜드지만 전성 시대를 보내고 있는 프랑스를 당해내기에는 여간 쉽지 않다. 내일 생일을 맞이할 파바르의 중거리 한 방, 그리고 이제부터 레블뢰의 골문을 책임 질 메냥의 말도 안되는 선방 등으로 프랑스가 2승 째 챙겨간다.

23/3/27
스타디온 페예노르트, 로테르담
유로 2024 예선 B조 2차전
네덜란드 3-0 지브롤터

오렌지 군단 역대 A매치 최다득점에 다가가고 있는 데파이, 그리고 맨시티 물좀 많이 먹은 아케의 멀티골로 조 최약체 지브롤터에 무난하게 승리하였다. 이걸로 쿠만은 1차전 대패를 만회... 했다고 보긴 어렵다 상대가 아무리 프랑스여도 0-4는 선 넘었기에.

23/3/27
스타디온 포드 고리콤, 포드고리카
유로 2024 예선 G조 2차전
몬테네그로 0-2 세르비아

사실 축구적으로 주목받을 만한 매치는 아니지만 세르비와 몬테네그로가 한 그룹이라니 가슴이 웅장해져서 이 맞대결을 다뤄봤다. 지난 2022 월드컵에서 망신을 당했지만 상대적으로 스쿼드 상 훨씬 좋아보이는 세르비아의 완승이었다. 블라호비치의 멀티골.

23/3/28
상암 월드컵 경기장, 서울
친선 경기
대한민국 1-2 우루과이

월드컵 본선에서 맞붙었던 우루과이를 4개월 만에 홈으로 초대하여 경기는 패했다. 하지만 이건 친선이고 본선에서는 비기고 16강 경쟁에서 이겼으니 괜찮다. 하지만 경기와는 별개로 킥오프 한 시간 전 급작스럽고 쌩뚱맞은 12년 전 승부 조작범들 사면 + 김민재의 인터뷰 논란 등으로 시끌시끌해졌다. 전자는 진짜 할 말하않....

23/3/28
햄튼 파크, 글래스고
유로 2024 예선 A조 2차전
스코틀랜드 2-0 스페인

맥토미니의 멀티골로 스코틀랜드가 스페인을 잡는 이변을 연출했다. 그러면서 2승 째로 조 1위에 올랐는데 벌써 이런 이야기하긴 이르지만 뭔가 다크호스의 냄새가 난다.

23/3/28

부르사 뷔윅셰히르 벨레디예 스타디유무, 부르사

유로 2024 예선 D조 2차전

튀르키예 0-2 크로아티아

약 50일전 지진의 아픔을 겪은 이후 처음 치뤄지는 튀르키예의 국내 A 매치 경기. 지금은 괜찮은가 모르겠다. 경기는 코바치치 멀티골로 크로아티아의 완승으로 마무리.

23/3/28

라인 에네르기 슈타디온, 퀼른

친선 경기

독일 2-3 벨기에

앞서 열린 친선 경기에서 페루를 상대로 2-0 승리를 거둔 차기 유로 개최국 독일이다. 월드컵 2연속 실패를 맛보면서 명예 회복을 노리는 전차군단이지만 오늘 강팀 벨기에를 상대로 한 경기를 보니 글쎄... 오히려 지난 월드컵에서 최악의 악몽을 경험했던 루카쿠가 이번 2경기 4골을 넣으면서 명예 회복에 나서고 있다.

23/3/28

Est. 우니코 마드레 디 시우다데스, 산티아고 델 에스테로

친선 경기

아르헨티나 7-0 퀴라소

이 국가는 쿠라카오 가 아니고 퀴라소 라고 읽는 것 이번 경기를 통해 처음 배우게 되었다. 첫 경기 파나마 전에 이어 이번 경기도 아르헨티나의 월드 챔피언 등극 뒷풀이 느낌이다. 메시의 A매치 100호골을 필두로 해트트릭을 달성하며 그저 축제를 즐겼다. 근데 이번에 호날두가 각각 멀티골을 기록한 상대였던 리히텐슈타인, 룩셈부르크가 낫냐 메시의 상대였던 파나마, 퀴라소가 낫냐 이런 건 유치하니까 그만좀 했으면 하는 바람이다. 인스타에 메시나 호날두의 득점 기록이 세워질 때마다 아직도 달리는 댓글들.

23/4/1

에티하드 스타디움, 맨체스터

22/23 프리미어리그 29R

맨시티 4-1 리버풀

맨시티는 홀란드 없이 이 빅매치를 치르는데 선제골을 먹혀 오늘 경기는 어렵지 않을까 싶었는데 전혀 문제 없이 역전승을 해내며 역시 우승을 노리는 팀다운 모습을 보여주었다. 오늘은 맨시티 월 리버풀 일.

23/4/1
에미레이츠 스타디움, 런던
22/23 프리미어리그 29R
아스날 4-1 리즈

오늘은 맨시티 월 리버풀 일? 아니
다 단 몇 시간만에 바뀌었다. 1위 팀
에 맞추는게 인지상정. 오늘은 아스
날 월 리즈 일이다. 무엇보다도 제수
스의 부상 복귀 후 득점 신고 그것도
멀티골을 터뜨렸으니 구너들에겐 더
할 나위 없이 기쁠 것이다.

23/4/1
쥐세페 메아짜, 밀라노
22/23 세리에A 28R
인테르 0-1 피오렌티나

밀란 출신 보나벤투라의 결승골로
피오렌티나가 밀라노에서 승리를 가
져갔다. 이로써 인테르는 리그 한정
해서 10경기가 남은 상태에서 벌써
10패 째를 찍게 되었다. 챔피언스리
그 8강에 오른깃과는 별개로 심각...
반면에 피오렌티나는 모든 경기 8연
승.

23/4/1
스탬포드 브릿지, 런던
22/23 프리미어리그 29R
첼시 0-2 아스톤 빌라

아니 이게 누구신가... 만우절 기념 이벤트가 아니다 첼시에 캉테가 드디어 돌아왔다. 근데 안 그래도 지고 있었는데 그가 들어가자마자 추가골을 실점하며 결국 또 패배를 추가하면서 첼시는 리그의 선두가 된다. 더보기 리그의 1위... 이것 또한 만우절 이벤트가 아니고 찐이다. 이 경기 이후 하루 이틀 뒤 포터가 드디어 경질

경질됐다고 한다. 만우절은 이미 지난 시점인데? 첼시팬들에게는 캉테의 복귀와 더불어 가장 좋은 소식일 것이다.

23/4/1
알리안츠 아레나, 뮌헨
22/23 분데스리가 26R
바이에른 뮌헨 4-2 도르트문트

A매치 기간동안 바이언은 나겔스만 감독을 내보내고 투헬 감독을 사령탑에 앉혔다. 과연 감독 교체를 굳이 그것도 이 시기에 할 만했나? 하면 반응은 갈리는데 지켜봐야겠다. 어쨌든 마침 도르트문트 출신인 투헬 감독은 선두에 올라있는 친정팀 상대로 승리를 거두며 일단 선두 자리를 다시 빼앗아 오며 좋은 출발.

23/4/1
알리안츠 스타디움, 토리노
22/23 세리에A 28R
유벤투스 1-0 베로나

모이스 켄의 결승골로 신승을 가져 갔다. 이걸로 근래 있었던 로마 원정 경기에서 교체 투입되자마자 미성숙한 행동(만치니를 향한 로우킥)으로 퇴장 당했던 것에 대해 조금이마나 사죄할 수 있었을지...? 이로써 유베 는 승점 삭감 징계에도 챔스 존인 4위권에 -6점차 따라 붙었고, 베로나 는 잔류권에 -6점 모자란다.

23/4/2
스타디오 코무날레 브리안테오, 몬차
22/23 세리에A 28R
몬차 0-2 라치오

페드로와 밀린코비치-사비치의 득점 으로 몬차 원정에서 무난하게 승리 를 거둔 사리볼의 라치오는 어제 패 배한 인테르를 제치고 나폴리를 제 외한 인간계 1위로 등극하였다.

23/4/2

세인트 제임스 파크, 뉴캐슬

22/23 프리미어리그 29R

뉴캐슬 2-0 맨유

이 경기는 챔피언스리그 진출 경쟁 팀간의 맞대결이자 리그컵 결승의 리턴 매치였는데 뉴캐슬이 리벤지에 성공하며 맨유를 넘어 3위로 점프하는데 성공하였다. 이로써 양 팀은 올 시즌 1승 1무 1패. 이 결과는 어쩌면 토트넘에게 더 안 좋은 결과.

23/4/2

스타디오 올림피코, 로마

22/23 세리에A 28R

로마 3-0 삼프도리아

후반 이른 시간에 전 인테르 출신 삼프도리아 수비수 무리요가 경고 누적으로 퇴장 당하자 무리뉴의 로마가 무난하게 승리를 가져갈 수 있었다. 무리뉴의 인테르 트레블 시절 제자인 스탄코비치의 삼프도리아는 점점 강등 확률이 높아지며 팬들 마음에 대못이 박히고 있다.

23/4/2
디에고 아르만도 마라도나, 나폴리
22/23 세리에A 28R
나폴리 0-4 밀란

이게 정녕 미리보는 챔피언스리그 8강? 공격수 오시멘 한 명 없다고 안 흔들리던 수비가 이렇게 와장창 무 너진다고 보긴 어렵지만 하여튼 뭔가 낯선 모습의 나폴리였다. 물론 한 골차로 지든 네 골 차로 지든 이 거 한 경기 망친다고 본인들이 스쿠 데토 달성하는데 지장은 없을거지만 곧 이어질 밀란과의 챔피언스리그

8강전에서 이러면 거의 게임 오버. 나폴리는 이게 리그 경기라는걸 그나마 다 행히 여겨야 할 것이고 밀란은 이 와중에 한 편으론 아쉬울 것이다.

23/4/3
구디슨 파크, 리버풀
22/23 프리미어리그 29R
에버튼 1-1 토트넘

A매치 브레이크 기간 도중 콘테 감 독은 토트넘에서 마침내 아웃되었 다. 감독 대행으로써 스텔리니 코치 는 남아 있었지만 이미 승률 100% 레코드는 깨진지 오래고 그다지 달 라진 건 없었다. 다이렉트 퇴장이 양쪽에서 발생한 가운데 강등권의 에버튼이 토트넘의 발목을 잡으며 챔피언스리그 경쟁을 더 어렵게 했 다.

23/4/4
알리안츠 스타디움, 토리노
22/23 코파 이탈리아 4강 1차전
유벤투스 1-1 인테르

경기 하이라이트는 후반 추가시간 포함 막판 20분 정도만 보면 될 듯. 선제골을 넣은 콰드라도가 혼자 심취한 댄스 타임을 가지면서 경기의 주인공이 되는 듯 했는데 실제로도 주인공이 된 건 맞다. 단 곱게 됐냐 안 곱게 됐냐의 차이. 다른 걸 다 떠나서 인종차별 챈트만 없었어도 루카쿠가 최근에 밀고 있는 저 세레머니를 유베 홈팬들을 향해서 하진 않았을 것이며 경고도, 상대 팀 선수의 흥분도, 그로 인한 충돌도 딱히 없었을 것이다. 더비 매치라고 하기엔 관중들의 선 넘은 행위 하나로 얼룩지게 되었는데 이 달 말에 있을 밀라노에서의 2차전은 그런 불필요한 요소 없이 승부가 갈리길 바란다.

23/4/4
스탬포드 브릿지, 런던
22/23 프리미어리그 8R (순연경기)
첼시 0-0 리버풀

"포터 아웃! 아 이미 아웃됐지 참..." 드디어 시즌 두 번째 감독 경질을 실시한 첼시지만 당연히 그다지 달라진 건 없다. 만나기만 하면 아주 스펙타클한 두 팀은 최근 네 번 맞붙어서 420분 무득점/무실점을 사이 좋게 이어가고 있다. 이러다가 다음 시즌에 믿고 거르는 첼버풀이 될 판...

23/4/5
올드 트래포드, 맨체스터
22/23 프리미어리그 25R (순연경기)
맨유 1-0 브렌트포드

시즌 초반에 그린티 같은 유니폼을 입고 호날두가 뛰고 있는데 0-4 참패를 당하며 텐 하흐 감독은 얼마 못 가 짤리겠구나 했던 때가 선명하면서도 꽤 오래 지난 일이다. 그 굴욕을 안겼던 브렌트포드에게 복수?를 했다고 하기엔 점수 차는 적지만 어쨌든 이번엔 에이스 래쉬포드의 결승골로 승리를 따냈다.

23/4/5
스타디오 죠반니 지니, 크레모네세
22/23 코파 이탈리아 4강 1차전
크레모네세 0-2 피오렌티나

코파 이탈리아의 어제는 뜨거웠고 오늘은 고요했다. 나폴리에 로마까지 잡아내며 이 자리에 올라온 리그 꼴찌 크레모네세인데 최근 조용히 파죽지세인 피오렌티나를 당해내지 못했다. 지난 리그 경기 인테르 원정에서 승리를 거둔 피오렌티나는 결코 운으로 승리한게 아님을 보여주며 모든 경기 포함 9연승을 달리면서 이 대회 결승행에 매우 유리한 고지를 점하게 되었다.

23/4/5
캄프 누, 바르셀로나
22/23 코파 델 레이 4강 2차전
바르셀로나 0-4 레알 마드리드
통합 1-4

1차전 베르나베우 원정에서 승리를 거두는 등 최근 엘 클라시코에서 3연승을 거두고 있던 사비의 바르샤인데 기세가 또 갑자기 이렇게 바뀌며 결승행은 레알에게 돌아간다. 전반 막판에 비니시우스가 합계 동점을 만들어준 이후 후반전은 완전히 벤제마쇼였다. 올 시즌만 벌써 다섯

번째 만남인데 4연패를 당한다면 역사상 전무한 대기록이었을텐데 레알이 그런 하얀 호구짓만큼은 면했다. 결승에는 오사수나가 기다리고 있다.

23/4/7
아레키 스타디움, 살레르노
22/23 세리에A 29R
살레르니타나 1-1 인테르

인테르는 이른 시간 고젠스의 선제골로 앞서 나갔지만 상대의 전 인테르 선수 칸드레바에게 행운섞인 크로슛 극장 동점골을 허용하며 오늘도 승리에 실패. 3월 6일 레체전 승리 후 한 달째 리그에서 이기지 못하며 위태위태한 상황이다.

23/4/7
비아 델 마레, 레체
22/23 세리에A 29R
레체 1-2 나폴리

지난 경기에서 밀란에게 충격적인 대패를 당했던 나폴리는 이제 그들과의 챔스 8강 맞대결을 앞두고 대비를 하는게 아니라 당장 분위기 반전이 필요하다고 생각했는지... 거의 1군 멤버로 나서서 일단 승리는 가져왔다. 센터백 김민재의 크로스 도움으로 윙백 디 로렌조의 헤딩골이라는 신기한 루트의 선제골과 아주 행운이 섞인 상대 자책 결승골. Gallo'는 이탈리아어로 수탉을 뜻하며 안드레아 벨로티의 시그니처 세레머니. 그래서 현지 팬들은 그에게 'il gallo'라는 별칭으로 부른다.

23/4/7
산 시로, 밀라노
22/23 세리에A 29R
밀란 0-0 엠폴리

지난 경기에서 챔피언스리그 8강 상대인 나폴리를 상대로 엄청난 대승을 거둔 밀란은 이제 그 맞대결을 앞두고 어느 정도 로테이션을 돌렸는데 엠폴리의 벽(?)을 넘지는 못했다. 엠폴리가 올 시즌 산 시로에 방문하여 인테르와 밀란을 상대로 무실점을 하면서 1승 1무를 가져갔다.

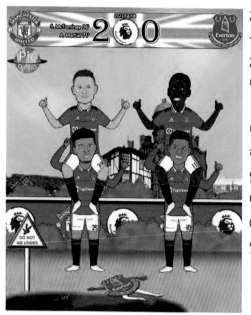

23/4/8
올드 트래포드, 맨체스터
22/23 프리미어리그 30R
맨유 2-0 에버튼

맨유는 맥토미니와 마샬이 전후반 한 골씩 뽑아내며 그다지 어렵지 않게 승리를 따냈다. 감독 바뀌어도 맨 첫 경기 빼고 그다지 별 거 없는 에버튼은 강등권 언저리에 머물러 있다.

23/4/8
토트넘 핫스퍼 스타디움, 런던
22/23 프리미어리그 30R
토트넘 2-1 브라이튼

경사 났다! 손흥민의 PL 100호골이 터져서? vs 스포티비 이벤트 안내가 끝나서? 100호골 이벤트 안내가 거의 3개월 가량 나간 것 같은데 드디어 종지부를 찍게 되었다. 나도 즉흥적으로 예감이 와서 09:48에 포착한 사진을 보내고 약간의 기대를 하였으나 한국에서 워낙 좋은 시간대인 토요일 23시 경기라 그런지 몰라도 택도 없었다. 어쨌든 손흥민의 아시아 선수 최초 프리미어리그 100호골을 축하하며 동시에 스포티비에서 향후 수십년간 박제될 영상의 상대팀 브라이튼에게 심심한 위로를...

23/4/8

몰리뉴 스타디움, 울버햄튼

22/23 프리미어리그 30R

울버햄튼 1-0 첼시

올 시즌 이미 감독 두명을 경질하며 안 풀려도 더럽게 안 풀리고 있는 첼시는 올 시즌 에버튼에서 경질을 당한 자신들의 선수로써의 레전드 램파드를 임시 감독으로 앉혀 놓는 결정을 했는데 글쎄... 일단 그 첫 경기부터 실패했고 달라 지는건 없었다. 이럴거면 차라리 보엘리 구단주 본인이 직접 감독해보라 하는게 어떨까 싶을 정도.

23/4/8

세인트 매리스 스타디움, 사우스햄튼

22/23 프리미어리그 30R

사우스햄튼 1-4 맨시티

뭐랄까 8년에 걸쳐서 프리미어리그 100호골을 달성한 손흥민도 대단한 기록이라고 생각하는데 첫 시즌에 27경기 뛰고 30골을 달성한 홀란드를 보니까 왠지 내가 손흥민도 아닌데 현타가... 어쨌든 오늘 홀란드의 두 번째 골이자 리그 30호 골 장면은 오늘의 하이라이트.

23/4/8
올림피코 그란데 토리노, 토리노
22/23 세리에A 29R
토리노 0-1 로마

디발라의 페널티킥 한 방으로 앞서 가던 로마는 승리를 잘 지켜내면서 리그 3위로 업.

23/4/8
스타디오 올림피코, 로마
22/23 세리에A 29R
라치오 2-1 유벤투스

좀 전에 토리노-로마 경기가 있었는데 지역 연합으로 보면 이쪽도 그렇다. 이번 라운드 최고 빅매치였고 유베가 전반기 맞대결과 코파 이탈리아에서는 모두 자신들의 홈에서 사리볼을 지워버리며 무실점 승리를 가져갔었는데 이번 올림피코에서는 달랐다. 자신의 친정팀이라고도 할 수 있는 유베 상대로 3연벙은 당하지 않은 사리 감독이다. 올 시즌 평소처럼 잘 풀리지는 않고 있는 임모빌레의 몫을 든든히 메꿔주고 있는 자카니의 멋진 결승골로 라치오가 승리를 가져가며 2위 자리를 한 층 굳혔다.

23/4/9
안필드, 리버풀
22/23 프리미어리그 30R
리버풀 2-2 아스날

쫓기는 입장의 리그 선두 아스날은 이 경기가 또 한 번 큰 고비처였으나 결국 넘지 못했다. 두 골을 먼저 앞서 나가며 순조로웠지만 분위기 타는 안필드의 리버풀은 역시 힘들다. 살라의 시즌 두 번째 페널티킥 실축이 있었음에도 불구하고 결국 동점으로 끝났다. 그 이후 흐름을 보면 오히려 역전을 당하지 않은게 다행이다 싶을 아스날이었다.

23/4/11
에스타디우 다 루즈, 리스본
22/23 UEFA 챔피언스리그 8강 1차전
벤피카 0-2 인테르

08/09 결승전에서 메시가 터뜨린 헤딩골만큼 보기 드물고 귀한 바렐라의 헤딩 선제골이었다. 실제로 인테르 입단 후 처음 터뜨린 헤딩골이라고 하며, 인테리스타 주앙 마리우의 도움으로(핸드볼로 PK) 루카쿠의 100% 성공률을 이어 나가는 PK 성공으로 인테르가 의외의 완승.

23/4/11
에티하드 스타디움, 맨체스터
22/23 UCL 8강 1차전
맨시티 3-0 바이에른 뮌헨

올 시즌 또 다시 대권에 도전하는 맨시티는 뮌헨을 상대로도 첫 단추를 잘 꿰도 너무 잘 꿰었다. 반면 올 겨울 이적시장 마지막날 바이언으로 임대를 떠나게 된 칸셀루는 무슨 생각을 할지...? 그나저나 투헬은 지난 주 포칼 8강에서 탈락한데 이어 챔피언스리그 8강에서마저 탈락할 위기에 놓였다. 아직 끝난건 아니지만 아무리 홀란드 보유 클럽 맨시티여도 0-3은 이미 선을 넘었다, 이럴려고 나겔스만 경질했냐, 나겔스만이었어도 이랬을까 라는 의견이 대다수.

23/4/12
산 시로, 밀라노
22/23 UCL 8강 1차전
밀란 1-0 나폴리

지지난 리그 경기에서 이미 세리에 A 집안 잔치의 전초전으로 치뤄진 0-4 경기가 있었는데 그만한 스코어는 아니지만 역시 밀란이 먼저 승리를 가져갔다. 나폴리는 여러 모로 꼬인 경기가 됐는데 지난 번처럼 똑같은 패배여도 그런 스코어가 재현되지 않은걸 다행으로 여겨야 할 듯하다. 이로써 8강에 오른 세리에 3총사들은 각각 치른 16강 두 경기부터 이번 8강 1차전까지 치른 총 9경기에서 1실점을 기록하고 있다. 그게 바로 오늘 나폴리가 밀란에게 당한 1실점.

23/4/12
산티아고 베르나베우, 마드리드
22/23 UCL 8강 1차전
레알 마드리드 2-0 첼시

전혀 예상을 벗어나지 않은 결과였고 첼시는 퇴장까지 나왔는데 이 정도면 할 만큼 했다. 리그에서는 10위권을 기어다니고 있는데 챔피언스리그 8강까지 온거 보니 또 '첼램덩크'를 할 모양이다. 2차전 스탬포드 브릿지 가서 테리가 막고 램파드가 조율하고 드록바가 넣어 주면 3-0으로 역전하는거 별 거 아니다 할 수 있다. 건재한 그들이 있다면.

23/4/13
스타디온 페예노르트, 로테르담
22/23 UEL 8강 1차전
페예노르트 1-0 로마

두 팀은 지난 시즌 컨퍼런스 리그 결승 이후 여기서 만났다. 당시 관중 대규모 충돌 사태 때문에 UEFA는 이 매치업에서 각각 1,2차전 모두 원정팬 출입 금지 명령을 내렸다. 그때 결승골의 주인공 자니올로는 없다. 로마에겐 없어도 되고 이젠 금지어 수준의 인물이 되었지만... 주장 펠레그리니의 뼈아픈 PK 실축이 있

었고 일격을 당하며 로마는 플레이오프부터 원정 3경기 모두 무득점을 기록하고 있다. 하지만 홈에서 더 잘해내기에 이번에도 뭔가 막연한 기대감이 있다.

23/4/13
알리안츠 스타디움, 투린
22/23 UEL 8강 1차전
유벤투스 1-0 스포르팅

고양이들의 결승골로 유베가 1차전
홈에서 승리를 가져갔다. Gatto가
이탈리아어로 '고양이'라는 뜻이며
Gatti는 복수형으로 '고양이들'.

23/4/13
올드 트래포드, 맨체스터
22/23 UEL 8강 1차전
맨유 2-2 세비야

맨유는 이른 시간에 자비처가 멀티
골을 터뜨리며 점점 승기를 잡아가
고 있었는데 경기 막판에 두 골을
자책골로 실점하며 승리마저 놓쳤다.
이건 누구의 탓도 아니며 그냥 유로
파리그 경기만 하면 조상님들이 나
서서 도와주는 세비야에 당한 것이
다.

23/4/14

스타디오 알베르토 피코, 스페치아

22/23 세리에A 30R

스페치아 0-3 라치오

라치오는 살아있는 레전드이자 캡
틴인 임모빌레의 페널티킥 선제골
과 내일 생일을 맞이하는 펠리페 안
데르송의 추가골 등으로 무난히 승
리하며 리그 2위 를 계속 달려나간
다.

23/4/15

레나토 달라라, 볼로냐

22/23 세리에A 30R

볼로냐 1-1 밀란

챔피언스리그 8강을 끼고 있는 세리
에A 3총사 중 한 팀인 밀란은 1차전
승리를 토대로 2차전에서도 좋은 결
과를 내기 위하여 로테이션을 돌렸
다. 그럼에도 빅7 제외한 1위를 달리
고 있는 볼로냐 원정에서 B군으로
무승부를 거뒀으면 본전은 뽑았다고
할 수 있다.

23/4/15
스탬포드 브릿지, 런던
22/23 프리미어리그 31R
첼시 1-2 브라이튼

포터 없는 포터 더비.
포터가 못 이끌었던 첼시는 여전히 죽쑤고 있고, 포터가 잘 이끌었던 브라이튼은 더 잘 나가고 있다. 진지하게 첼시가 유로파리그 진출보다 브라이튼의 챔피언스리그 진출이 더 확률이 높은 상황이다.포터를 첼시로 보냈던 브라이튼은 올 시즌 첼시 상대로 더블.

23/4/15
토트넘 핫스퍼 스타디움, 런던
22/23 프리미어리그 31R
토트넘 2-3 본머스

얼마 전 프리미어리그 100호골을 달성했던 손흥민이 AC밀란을 상대로 선제골을 터뜨렸다. 하지만 난타전 끝에 결국 종료 직전 버저비터골을 얻어맞고 패배했다. 잠깐 밀란과의 챔스는 이미 만나서 진거 아니었나 오늘 상대가 ...? 에이 설마 이건 꿈일거다 상대방이 밀란이지 설마 아무리 토트넘이어도 홈에서 본머스한테 저런 굴욕을 당할까...?

23/4/15
디에고 아르만도 마라도나, 나폴리
22/23 세리에A 30R
나폴리 0-0 베로나

뒤집어내야만 하는 챔스 2차전에 징계 결장하게 된 김민재(경고누적), 잠보 앙귀싸(퇴장)는 어쩔수 없이 오늘 끼고 어느 정도 로테이션을 돌렸지만 강등권에 위치한 베로나를 상대로도 생각 보다 안 풀렸다. 이 경기를 아예 버려도 나폴리가 올 시즌 스쿠데토 차지하는데는 문제가 없어 보일 정도로 여유가 있는 상황이다.

하지만 스팔레티 감독은 그래도 당장 못 이기고 있으니까 심기가 불편했는지 주전들을 꾸역꾸역 투입시키며 눈 앞의 승리를 노렸지만 실패했다. 그러다 보니 8강 2차전을 위해 A군들이 제대로 충전을 할수가... 이것이 어떤 결과로 돌아올지는 곧 주중에 알게 된다.

23/4/15
에티하드 스타디움, 맨체스터
22/23 프리미어리그 31R
맨시티 3-1 레스터

PK 하나를 포함하여 멀티골을 넣은 홀란드는 프리미어리그 단일 시즌 최다골(34)에 거의 근접했는데 사실상 시간 문제로 보인다. 화두는 이걸 깨냐 못 깨냐가 문제가 아니라 40골을 넘냐 못 넘냐이다. 시티는 모든 경기 포함 10연승.

23/4/15
쥐세페 메아짜, 밀라노
22/23 세리에A 30R
인테르 0-1 몬차

'인테르 세리에 A 역사상 최초 홈 3연속 무득점 패배로 대흑역사 수립' 챔스에서는 무리뉴 모드, 리그에서는 가스페리니(인테르 맡을 당시 1무 4패로 경질) 모드를 시전하고 있는 심자기는 최근 5경기 리그 성적이 딱 저렇게 똑같다. 득점력이 심각한 문제로 떠오르고 있는데 찬스를 많이 못 만들었냐 하면 그것도 아니다.

공격수들 중 믿었던 라우타로도 침묵, 루카쿠는 리그 개막전 이후 리그 필드골 없음, 제코는 1월 수페르코파 이후 무득점, 코레아는 10월 이후 무득점...

23/4/16
올림픽 스타디움, 런던
22/23 프리미어리그 31R
웨스트햄 2-2 아스날

10분만에 두 골을 먼저 앞서간 아스날이 우승을 노리는 팀답게 쉽게 이기나 싶었지만 쎄한 만회골부터 후반 이른 시간 사카의 통한의 PK 실축... 이미 유로 2020 결승이라는 큰 무대에서 실축해본 경험이 있는 사카를 굳이 키커로 내세워야 했을까는 의문이다. 승리도 확실시되는 상황이 아니었기에... 직후에 동점골을 내주고 결국 무승부로 끝낸 아스날에게는 맨시티와의 격차가 줄어들면서 매우 뼈아픈 결과.

23/4/16
시티 그라운드, 노팅엄
22/23 프리미어리그 31R
노팅엄 포레스트 0-2 맨유

안토니와 달롯의 득점으로 맨유는
노팅엄의 숲을 무사히 통과하였다.

23/4/16
마페이 스타디움, 치타 델 트리콜로레
22/23 세리에A 30R
사수올로 1-0 유벤투스

데프렐의 한 방이 이 경기 하이라이
트로 남으며 유베는 리그 한정 2연
패를 당한다.

23/4/16
스타디오 올림피코, 로마
22/23 세리에A 30R
로마 3-0 우디네세

양 쪽에서 페널티킥 실축이 있었는
데 한 쪽은 다른 선수의 리바운드 필
드골로 이어졌고 한 쪽은 그냥 미스
로 끝났다. 리그 한정 무실점 3연승
을 달리고 있는 로마는 이제 바로
유로파리그 8강 2차전 홈경기에서
페예노르트를 혼내주며 역전하길
고대하고 있다.

23/4/17
엘란드 로드, 리즈
22/23 프리미어리그 31R
리즈 1-6 리버풀

가끔 가다 잊을만하면 터지는 리버
풀의 한 경기 무더기 폭격하는 날이
3월 초에 있었던 맨유와의 노스 웨
스트 더비 7-0 이후 다시 돌아왔다.
득점원에 디오구 조타까지 가세한
건 그들 입장에서 아주 조타. 이걸로
전반기 안필드에서의 리즈전 패배를
제대로 되갚아
주었다.

23/4/18
디에고 아르만도 마라도나, 나폴리
22/23 UCL 8강 2차전
나폴리 1-1 밀란
통합 1-2

나폴리는 올 시즌 잘 나가던 와중에도 확실한 PK 키커가 없어 (여러 명이 해낸 많은 실축들이 증명) 고민 거리였는데 여기서 터지며 발목 잡히고 말았다. 실축 10분 뒤쯤 오시멘이 기어이 1-1을 만들긴했지만 너무 늦어버렸다. 나폴리는 나름대로 구단 역사상 최초 8강을 이뤄냈지만 이번 결과가 뼈저리게 아쉽다고 느끼지 않는 팬은 없을 듯? 밀란은 자신들의 최근 마지막 빅이어를 들어올렸던 06/07시즌 이후 16년만에 처음으로 4강행.

23/4/18
스탬포드 브릿지, 런던
22/23 UCL 8강 2차전
첼시 0-2 레알 마드리드
통합 0-4

사실 첼시는 요즘 성적 감안하면 의외로 잘했다 58분 호드리구한테 거의 쐐기에 가까운 선제골을 먹히기 전까지는... 호드리구는 자신의 우상이자 클럽 선배인 호날두의 호우 세레머니를 펼쳤고 한 골 더 뽑아내며 결국 승리는 레알 몫. 11/12, 20/21 첼시의 리그 성적들을 지금과 비교해보면 어느 정도껏 해야 첼램덩크 같은 것도 기대 가능.

23/4/19
쥐세페 메아짜, 밀라노
22/23 UCL 8강 2차전
인테르 3-3 벤피카
통합 5-3

챔스에서 만큼은 무리뉴 모드를 시전 중인 시모네 인테르는 역시 믿고 보는 수준. 하다 못해 코레아의 득점이 그것도 원더골이었으며 작년 10월 이후 첫 득점이었다. 하지만 팀은 경기 종료 직전까지 포함해서 2골을 내줘서 단일 경기 무승부로 끝난건 글쎄... 영광의 트레블을 이룬 09/10 시즌 이후 13년만의 4강 진출인데 약간 김새는 느낌도 있었다. 어쨌든 인테르는 이제 숙명의 라이벌 밀란과 결승행을 다투기 위해 밀라노로 간다.

23/4/19
알리안츠 아레나, 뮌헨
22/23 UCL 8강 2차전
바이에른 뮌헨 1-1 맨시티
통합 1-4

경기의 주인공은 우파메카노인가 홀란드인가...? 바이언은 늦은 시간 PK로 겨우 하나 만회하면서 통합 영패만 안 당하도록 끝냈다. 바이언은 나겔스만 경질 직전에도 트레블 도전은 충분히 가능한 상황이었으나 투헬로 교체하면서 포칼에 이어 챔스까지 날리고 말았다. 그 트레블 도전은 이제 친정팀을 무너뜨린 펩시티 그리고 홀란드가 도전한다. 다음 관문은 지난 시즌에 말도 안되게 넘지 못했던 끝판왕 레알 마드리드이다.

22/23 UEFA 챔피언스리그 4강

레알 마드리드 - 맨시티/ 밀란 - 인테르

23/4/20
스타디오 올림피코, 로마
22/23 UEL 8강 2차전
로마 4-1 페예노르트
통합 4-2

로마는 믿음이 가득한 홈경기에서 역시나 잘 뒤집어냈다. 현 네덜란드에서 축구 제일 잘하는 팀 페예노르트를 난타하며 로마는 토티가 직관으로 지켜보는 가운데 4강에 진출하였다. 레버쿠젠과 결승 다툼.

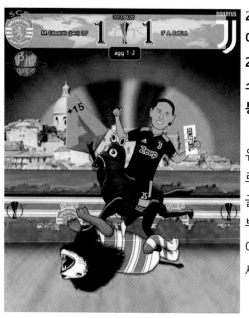

23/4/20
에스타디우 조세 알바라데
22/23 UEL 8강 2차전
스포르팅 1-1 유벤투스
통합 1-2

유베는 일찌감치 라비오의 선제골로 4강 가능성을 높인 뒤 금방 동점골을 허용하긴 했지만 지지 않는 승부를 잘 지켜내며 4강에 안착하였다. 이제 다음 관문은 이 대회의 끝판왕 세비야.

23/4/20
라몬 산체스 피츠후안, 세비야
22/23 UEL 8강 2차전
세비야 3-0 맨유
통합 5-2

라리가에서 17위하고 있는 시즌에도 유로파 DNA가 꺼지지 않는 세비야를 보자니 이쯤 되면 뒤에서 조상님들이 나서서 도와주는 듯 하다. 오늘 경기도 0-2로 끌려가며 두 골이 필요해진 맨유는 81분 데 헤아의 결정적인 삽질이 나오며 그대로 K.O 선언. 맨유의 유럽대항전은 이제 끝.

22/23 UEFA 유로파리그 4강

유벤투스 - 세비야/ 로마 - 레버쿠젠

23/4/21
에미레이츠 스타디움, 런던
22/23 프리미어리그 32R
아스날 3-3 사우스햄튼

아스날은 시작하자마자 쎄하더니 급기야 하필 월콧한테까지 당하고 결국 승리로 완전히 만회하지 못하고 실족. 맨시티는 이번 주에 리그가 아닌 FA컵 업무를 봐야 하기 때문에 거너스가 여전히 선두이긴 하긴 하겠지만 다음주에 맞대결을 그것도 원정에서 앞두고 있기에 오늘 결과가 너무나 뼈아플 수 밖에.

23/4/22
안필드, 리버풀
22/23 프리미어리그 32R
리버풀 3-2 노팅엄 포레스트

조타식이가 제대로 돌아왔구나~!
지난 리즈전에서 시즌 첫 골이자 멀
티골을 터뜨리며 대승을 이끌었던
디오구 조타가 이번까지 연속 멀티
골을 이어가면서 승리에 견인하였
다. 살라는 뭐 늘 하던대로 했고.

23/4/22
웸블리 스타디움, 런던
22/23 FA컵 4강
맨시티 3-0 셰필드 유나이티드

다음 시즌에 프리미어리그에서 다
시 볼 셰필드지만 맨시티의 적수가
되진 못했고 전혀 이변은 없었다.
아무리 날씨가 뭐같은 영국이여도
지금은 4월도 말에 접어 드는 시점
인만큼 장갑을 벗은 마레즈였는데
그래도 해트트릭을 하며 팀을 손쉽
게 결승으로 이끌었다. '믿고 보는
장갑 낀 마레즈'였는데 예외 사례를
생성. 이로써 맨시티는 64강부터 4강까지 5경기 17득점 0실점으로 결승행.

298

23/4/22
스타디오 올림피코, 로마
22/23 세리에A 31R
라치오 0-1 토리노

사리는 꿈을 꾸었다 드디어 나폴리가 스쿠데토를 차지하는 꿈을. 아 맞다 지금 나폴리는 그의 팀이 아니지… 승승장구하면서 2위까지 올라왔던 사리볼의 라치오는 뜬금 패를 당하면서 나폴리는 내일 밤 유벤투스 원정에서 승리하면 우승에 더욱 근접하게 된다.

23/4/23
카를로 카스텔라니, 엠폴리
22/23 세리에A 31R
엠폴리 0-3 인테르

인테르는 챔피언스리그 4강 자리에 오르는 와중에 지난 리그 5경기에서 상상 초월의 x꼬 쇼를 펼친 이후 지난 3월 6일 레체전(홈) 2-0 승리 이후 한 달 반만에 리그 승리를 가져왔다. 그리고 루카쿠는 리그에서 개막 경기였던 레체전(원정) 이후 벼락같은 득점을 터뜨린 이후 약 8개월 만에 리그 필드골을 터뜨렸다. 내친 김에 하나 더 넣고 라우타로와의 룰라 조합까지 살아나면서 남은 두 대회의 결승을 놓고 다툴 경기들을 더 기대하게 만들고 있다.

23/4/23
세인트 제임스 파크, 뉴캐슬
22/23 프리미어리그 32R
뉴캐슬 6-1 토트넘

콘테 아웃! 아 나갔는데도 이러네... 그럼 그 오른팔 아저씨도 아웃! 올 시즌 뉴캐슬이 아무리 챔스를 노리는 근래 역대급 팀이다 하더라도 전반 20분만에 0-5는 레전드 갱신. 이런 와중에도 만회골 넣어주는 케인이 다시 한번 새삼 안쓰럽게 느껴진다. 안 그래도 이 경기는 다음 시즌 챔스 진출권을 건 승점 6점짜리 맞

대결이었는데 6골을 얻어 맞고 스텔리니 감독 대행도 경질되었다.

23/4/23
캄프 누, 바르셀로나
22/23 라리가 30R
바르셀로나 1-0 아틀레티코 마드리드

이 날은 카탈루냐 관련 기념일이었는데 바르셀로나는 강력한 장애물 아틀레티코에게 올 시즌 더블을 달성하며 그들 말고는 리그 우승 가능성이 아무도 없어 보인다.

23/4/23

웸블리 스타디움, 런던

22/23 FA컵 4강

브라이튼 0-0 맨유

승부차기 6-7

"너의 날이 아니었다 왜냐하면 지금은 4월이잖아" 텐 하흐의 데뷔전이었던 리그 첫 경기에서도 그를 괴롭혔던 브라이튼인데 지금 붙어도 역시 쉽지 않은 상대였다. 연장 120분으로도 부족해서 승부차기로 간 데에는 데 헤아의 활약이 있었지만 승부차기에서는 단 한개도 막지 못했다. 그런데 맨유의 승리. 이로써 FA컵 결승이 맨체스터 더비로 치뤄지게 됐으며 데 제르비의 브라이튼에게도 찬사를...!

23/4/23

산 시로, 밀라노

22/23 세리에A 31R

밀란 2-0 레체

밀란은 레앙의 멀티골로 챔피언스리그 4강에 진출한 팀 답게 레체에 무난한 승리.

23/4/23

알리안츠 스타디움, 토리노

22/23 세리에A 31R

유벤투스 0-1 나폴리

나폴리는 교체 선수들 라스파도리-엘마스 조합의 추가시간 시원한 버저비터 골로 유벤투스 원정에서 극적인 승리를 챙겼다. 그러면서 전반기 5-1 승리에 이어서 더블까지 챙겼는데 두 경기 모두 나폴리에게 향후 몇십년간 회자될 경기인것은 분명하다. 오늘 경기로 인해 아직 스쿠데토가 100% 확정되지는 않았고, 설사 올 시즌이 우승 시즌이 아니라 할지라도 나폴리는 SNS에서 앞으로 유베랑 붙을 때나 On this day로 이 경기를 넣을 걸로 예상된다. 다음 32라운드 살레르니타나전에서 승리하면 6경기를 남기고 스쿠데토를 마침내 확정 짓는다.

23/4/23

게비스 스타디움, 베르가모

22/23 세리에A 31R

아탈란타 3-1 로마

챔스 존에 있었던 로마를 밑에 있던 아탈란타가 잡아내면서 2~7위간의 챔스 경쟁을 더욱 심화시켰다. 로마는 주중 유로파 리그 4강에 오르긴 했지만 연장까지 가면서 힘들게 오른 여파를 극복해내긴 상대도 상대인지라 어려웠다.

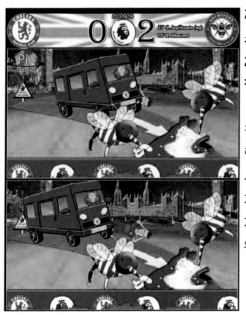

23/4/26
스탬포드 브릿지, 런던
22/23 프리미어리그 33R
첼시 0-2 브렌트포드

첼시의 R 기어는 Relegation인가? 램파드가 임시 감독으로 부임한 첼시는 5연패를 당하고 있다. 빡하면 지는게 취미가 된 듯한데 이제는 진지하게 강등권에 조금조금씩 가까워지고 있다.

23/4/26
올림픽 스타디움, 런던
22/23 프리미어리그 33R
웨스트햄 1-2 리버풀

리버풀의 저 눈을 어지럽히는 패턴의 어웨이 킷 전적은 이전까지 4전 4패였다. 전력이 어느 정도 돌아오고 나니까 이것을 입고도 마침내 승리를 따냈다. 어시스트는 모두 리버풀의 양 날개 알렉산더 아놀드와 로버츠슨.

23/4/26
에미레이츠 스타디움, 맨체스터
22/23 프리미어리그 33R
맨시티 4-1 아스날

올 시즌 프리미어리그 우승을 놓고 사실상 결승전 같았던 경기에서 많은 이들의 예상대로 맨시티가 결국 이번에도 완승을 거뒀다. 하이라이트는 데 브라이너의 멀티골이기도 했지만 마지막 순간에 득점한 '찰랑찰랑' 홀란드가 있었다. 사실상 역전 우승 예약 수준. 반면 아스날은 이 경기 전부터 3연무를 캔게 너무나 치명적 으로 다가왔다.

23/4/26
쥐세페 메아짜, 밀라노
22/23 코파 이탈리아 4강 2차전
인테르 1-0 유벤투스
통합 2-1

리그에서는 몰라도 컵대회의 심자기는 뭐가 다르긴 다르다. 올해만 한정해도 챔피언스리그 2승 2무 + 코파 이탈리아 3승 1무 + 수페르코파 1승 = 6승 3무로 무패를 달리고 있는 컵자기는 이 대회 2연속 결승에 올랐다. 반대편에 있는 피오렌티나-크레모네세 승자를 상대로 2연패를 노린

다. 그리고 오늘은 시끄러웠던 1차전에 비하면 비교적 평화롭게 끝난 편.

23/4/27
아르테미오 프란키, 피렌체
22/23 코파 이탈리아 4강 2차전
피오렌티나 0-0 크레모네세
agg 2-0

피오렌티나는 1차전 완승으로 2차전을 다소 밋밋하게 끝내고 결승에 안착하였다. 13/14(준우승) 이후 9년만에 결승에 올라 인테르와 다투게 된다. 한편 리그에서는 강등권이지만 나폴리와 로마를 꺾고 여기까지 온 크레모네세의 여정은 여기까지.

23/4/27
토트넘 핫스퍼 스타디움, 런던
22/23 프리미어리그 33R
토트넘 2-2 맨유

전반전에 산초, 래쉬포드의 득점으로 0-2인데 오늘은 홈팬들한테 환불각인가? 싶었다. 하지만 후반에 포로와 손흥민이 겨우겨우 동점을 만들어냈고 오늘은 리버풀전같은 마무리가 되진 않아서 그대로 무승부로라도 끝낼 수 있었다. 하지만 다음 시즌 챔피언스리그 진출 경쟁에 있어서 불리한 쪽은 여전히 토트넘이다.

23/4/29
스타디오 올림피코, 로마
22/23 세리에A 32R
로마 1-1 밀란

정규 시간 90분은 다 버리고 후반 인저리 타임만 봅시다. 타미의 극적인 선제 결승골이 터졌는데 거기서 끝이 아닐 줄은... 마지막 순간에 살레마커스의 동점골로 두 팀은 후반 인저리 타임에만 승부를 보며 1점씩 나눠가졌다.

23/4/30
쥐세페 메아짜, 밀라노
22/23 세리에A 32R
인테르 3-1 라치오

이번 라운드의 또 다른 빅매치이자 나폴리의 우승 확정 여부가 얽혀있던 경기였다. 라우타로의 멀티골, 부상과 맞바꾼 고젠스의 역전골, 루카쿠의 2도움, 그리고 인테르의 라치오전 하면 빼놓을 수 없는 인물 베시노의 쐐기골 어시스트까지. 그리고 심자기 감독이 친정팀에 비수를 꽂음으로써 사리 감독의 친정팀(그 시절 그토록 원하던)의 우승 퍼레이드 밥상이 다 차려졌고, 인테르를 친정팀으로 뒀을 스팔레티 감독에게는 미리 축하.

23/4/30
디에고 아르만도 마라도나, 나폴리
22/23 세리에A 32R
나폴리 1-1 살레르니타나

타격도 좌절도 딱히 없겠지만 좀 우스꽝스러운 갑분싸. 앞서 열린 인테르-라치오 경기 결과로 인해 나폴리 팬들은 이미 축제 준비같은 축제였다. 잔류 싸움하는 팀을 홈에서 못 이기겠어? 했는데 역시 이 시점에 잔류 경쟁하는 팀은 뭐다...? 자신들의 홈에서 열리는 경기 결과로 스쿠데토 확정을 짓기 위하여 리그 협회

에다가 하루 연기 요청까지 해서 오늘 치뤄진건데 음... 모양새가 약간 우스꽝스럽게 됐지만 아직 4월인데 벌써 리그 우승 확정 짓는 것은 예의가 아니라고 생각했나보다.그래서 다음 기회는 주중으로.

23/4/30
크레이븐 코티지, 런던
22/23 프리미어리그 34R
풀럼 1-2 맨시티

홀란드가 페널티킥이든 뭐든 한 골 한 골 넣을 때마다 역사가 된다. 리그 34호 골(단일 시즌 최다 기록 타이), 토탈 50호 골 그리고 시티는 8연승.

23/4/30
올드 트래포드, 맨체스터
22/23 프리미어리그 34R
맨유 1-0 아스톤 빌라

지난 11월 빌라 부임 이후 여태까지 리그 뿐만 아니라 FA컵, 카라바오컵 등 다 포함해도 단 한 경기도 득점에 실패해본 적 없는 에메리 감독. 바로 그 출발점이 전반기 맨유와의 홈경기 3-1 승리였는데 그때는 그저 감독 교체 버프인줄 알았으나... 이 훌륭한 팀의 득점 행진을 맨유가 직접 무실점 승리로 끊어내면서 복수에 성공했다고 볼 수 있다.

23/4/30
안필드, 리버풀
22/23 프리미어리그 34R
리버풀 4-3 토트넘

15분만에 3-0... 토트넘은 오늘도 원정환불대 가나? 싶었다. 얼마전에 리버풀이 맨유 상대로 7-0 만드는 것도 그렇고 충분히 그렇게 될 수도 있는 기세였으나 아주 힘겹게 3-3까지 만들어냈다. 히샤를리송의 토트넘에서의 리그 데뷔골이 드디어 극적으로 터져 나왔으나... 기껏 여기까지 왔는데 교체 투입된 루카스 모우라가 삽을 푸며 그대로 디오구 조타의 더 극적인 버저비터골로 연결되었다. 토트넘 입장에서는 동점 만드는건 어려워도 다시 리드를 내주는건 쉬웠다.

23/4/30
레나토 달라라, 볼로냐
22/23 세리에A 32R
볼로냐 1-1 유벤투스

전반에 양쪽 똑같이 PK를 얻고 한 쪽은 성공, 한 쪽은 실패, 그리고 실패한 쪽에서 후반에 필드골로 세탁. 티아고 모따의 볼로냐는 빅6 상대로 네 번째 홈경기인데 무패이다. (인테르 1-0, 라치오 0-0, 밀란 1-1, 그리고 오늘)

23/5/2
에미레이츠 스타디움, 런던
22/23 프리미어리그 34R
아스날 3-1 첼시

리포터: 당신은 오늘 이겼는데 왜 울고 있나요?
거너사우루스: ...어떻게 첼시한테 실점을 할 수가 있죠...?

평소 시즌 같았으면 아스날에게 이 경기가 고비였을텐데 이번에는 애초부터 전혀... 최근 3연무로 미끄러진 아스날을 다시 일으키는 원동력이 되었다. 램파드 임시 감독 부임 이후 5연패를 거두고 있던 첼시에게 패배를 하나 더 안기며 진지 하게 유럽대항전보다는 강등권에 더 가깝게 했다. 첼시가 이렇게 된 원인 중 하나가 공격 쪽의 심각한 문제인데 이런 첼시에게 한 골 실점했다는 것 자체만으로 아스날 팬들은 뒷맛이 씁쓸할지도...?

23/5/3
알리안츠 스타디움, 토리노
22/23 세리에A 33R
유벤투스 2-1 레체

주중에 펼쳐진 세리에 라운드. 개인적으로 처음 보는 파레데스의 프리킥 득점과 블라호비치의 결승골로 유베는 슬슬 강등로이드 발동할 레체에 신승.

23/5/3
스타디오 벤테고디, 베로나
22/23 세리에A 33R
베로나 0-6 인테르

상대 자책골로 포문이 열리더니 그 다음부터는 찰하노글루의 유도탄 슛이 터지고 제코와 라우타로의 멀티골이 빵빵 터지며 인테르는 강등권 베로나를 상대로 대승을 가져갔다. 사실 대승보다도 동시간대에 경쟁 상대 밀란과 로마가 나란히 무승부를 거둔게 더 값진 결과.

23/5/3
스타디오 올림피코, 로마
22/23 세리에A 33R
라치오 2-0 사수올로

???: "오히려 좋아... 우리가 내일 직접 확정 짓자" 나폴리의 우승 확정 여부가 걸린 경기였다. 라치오가 승리했기 때문에 이제 저 대기중인 스쿠데토 상자의 열쇠는 주인공 본인들이 직접 열 수 있도록 내일로 넘어가게 된다.

23/5/3
산 시로, 밀라노
22/23 세리에A 33R
밀란 1-1 크레모네세

강등로이드 제대로 발동한 크레모네세에게 늦은 시간 불의의 선제골을 허용했던 밀란은 후반 인저리 타임에 겨우 동점으로 마무리하는데 그쳤다. 챔피언스리그 4강 맞대결 상대이자 다음 시즌 진출권을 놓고 다투는 경쟁자이자 라이벌인 인테르는 대승을 거두면서 -2점 뒤쳐졌다.

23/5/3
스타디오 코무날레 브리안테오, 몬차
22/23 세리에A 33R
몬차 1-1 로마

명장의 냄새가 나는 감독 유망주 팔라디노의 몬차는 역시 쉽지 않다. 로마도 승리에 실패하면서 다음 시즌 챔피언스리그 진출권에 진입하지 못했다.

23/5/3
안필드, 리버풀
22/23 프리미어리그 28R (순연경기)
리버풀 1-0 풀럼

살라의 PK 선제골이 결승골이 된 데에는 알리송의 활약이 있었으며 리그 5연승을 달렸다.

23/5/3
에티하드 스타디움, 맨체스터
22/23 프리미어리그 28R (순연경기)
맨시티 3-0 웨스트햄

밀려 있던 경기를 승리로 채웠으니 이젠 어느 모로 봐도 시티가 온전한 1위이다. 홀란드는 프리미어리그 입성 첫 시즌만에 리그 35호골로 단일 시즌 최다 득점 기록 갱신.

23/5/4
다치아 아레나, 우디네
22/23 세리에A 33R
우디네세 1-1 나폴리

[오피셜]나폴리 세리에A 우승

지난 주말에 자신들의 홈에서 우승을 확정 짓지 못했던 나폴리. 원정으로 옮겨오게 되었는데 오늘은 비기기만 해도 되는 상황에서 선제골을 허용하며 이러다 또...? 생각이 들었다. 하지만 장난(?)은 한 경기로 족하고 이제 나폴리가 진짜로 올 시즌 챔피언이 됐음을 알렸다!

23/5/4
아멕스 스타디움, 브라이튼
22/23 프리미어리그 28R (순연경기)
브라이튼 1-0 맨유

얼마 전 있었던 FA컵 4강전같은 양상의 0-0으로 흘러가다가 깊숙이 들어간 후반 인저리 타임에 나온 루크 쇼의 핸드볼... 월드 챔피언 맥칼리스테르의 PK 결승골로 브라이튼은 FA컵에서의 설욕을 제대로 했다. 더불어 브라이튼은 개막전에 이어서 텐하흐의 맨유를 상대로 더블.

23/5/6
산 시로, 밀라노
22/23 세리에A 34R
밀란 2-0 라치오

얼마전 인테르를 상대하러 이곳에 방문하여 무너졌던 라치오는 오늘 밀란을 상대로도 베나세르와 테오의 왼발에 초반부터 무너지며 패했다. 이번 라운드는 특이하게도 2~7위간의 챔스 경쟁을 건 맞대결이 펼쳐지는데 아래에 위치했던 밀란의 승리는 그만큼 중요했다.

23/5/6
바이탈리티 스타디움, 본머스
22/23 프리미어리그 35R
본머스 1-3 첼시

앞서 6연패하다가 이제 한 번 이겼는데 '잔류'를 달성(?)한 램파드의 첼시다. 그것도 승점 동률이었던 잔류 경쟁자 본머스와의 맞대결이었기에 이 승리는 크다면 크다. 시즌 초부터 에버튼을 밑에 한 팀으로 깔아놓은 것이 큰 그림이었던가...?

23/5/6
에티하드 스타디움, 맨체스터
22/23 프리미어리그 35R
맨시티 2-1 리즈

귄도안의 해트트릭...!이 PK 실축으로 실패하니까 바로 상대의 만회골로 응징을 당했다. 완벽주의자 펩 입장에서는 승리를 지켜내고도 마음에 들지 않는 승리였을 것이다. 이제는 추격자가 된 아스날 입장에서 뉴캐슬 원정을 앞두고 있어 부담.

23/5/6

토트넘 핫스퍼 스타디움, 런던

22/23 프리미어리그 35R

토트넘 1-0 크리스탈 팰리스

케인의 결승골로 신승을 거둔 토트넘이지만 그럼에도 3경기 남은 시점에서 4위권은 그저 멀어보인다.

23/5/6

스타디오 올림피코, 로마

22/23 세리에A 34R

로마 0-2 인테르

밀라노 vs 로마 다른 조합의 경기에서는 디마르코와 루카쿠의 왼발. 여기서도 밀라노가 승리하면서 이미 유리한 위치를 점하고 있었던 인테르가 5연승으로 더더욱 유리한 위치를 굳히게 되었다. 그들의 '무버지' 무리뉴 감독에게는 미안하지만...

23/5/6
안필드, 리버풀
22/23 프리미어리그 35R
리버풀 1-0 브렌트포드

리버풀은 지난 풀럼전에 이어 이번에도 살라의 결승골 하나로 1-0 승리를 거두며 7연승을 달렸다. 브렌트포드는 한 시즌 통합 스코어로 맨유에게 4-1, 리버풀에게 3-2로 정신 승리 가능.

23/5/6
Est. 올림피코 데 세비야, 세비야
22/23 코파 델 레이 결승
레알 마드리드 2-1 오사수나

진정한 100:0의 싸움
경기 전까지 양 구단 역사상 가지고 있는 트로피 숫자다. 끝까지 오사수나가 희망을 가질 수도 있는 경기로 흘러갔지만 어우레... 어차피 우승은 레알이었다. 통합 101번째 우승.

레알 마드리드 22/23 코파 델 레이 우승

천하의 레알도 13/14 시즌 이후 무려 9년만에 얻는 국왕컵 트로피.

23/5/7
게비스 스타디움, 베르가모
22/23 세리에A 34R
아탈란타 0-2 유벤투스

유베는 어려울 것으로 예상됐던 아탈란타 원정에서 꼬꼬마의 선제골 그리고 블라호비치의 쐐기골로 챔스존을 굳혔다. 변수라면 스멀스멀 올라오고 있는 승점 재삭감 가능성. 만약 또 다시 그렇게 된다 하더라도 아탈란타의 4위권 진입 가능성은 쉽지 않아보인다.

23/5/7
세인트 제임스 파크, 뉴캐슬
22/23 프리미어리그 35R
뉴캐슬 0-2 아스날

아스날은 오히려 이기기 어려울 것으로 예상 됐던 뉴캐슬 원정에서 완승을 거두며 우승에 대한 실낱 같은 희망을 살렸다. 이젠 그저 쫓아가야 하는 입장.

23/5/7
디에고 아르만도 마라도나, 나폴리
22/23 세리에A 34R
나폴리 1-0 피오렌티나

주중 우디네세 원정에서 마침내 올 시즌 스쿠데토를 확정시키고 홈으로 돌아온 나폴리. 이탈리아 내에는 잘 없는 문화였던 '가드 오브 아너'는 20/21 챔피언 인테르를 예우해 주자는 라니에리 감독의 삼프도리아를 시작으로 점차 자리 잡을 것으로 보인다. 피오렌티나 선수단은 올 시즌 챔피언 나폴리를 예우해줬는데 거기에 그치지 않고 승점 3점까지 예우...

23/5/7
올림픽 스타디움, 런던
22/23 프리미어리그 35R
웨스트햄 1-0 맨유

현 맨유 선수단 최고참이자 월드클
래스 골키퍼 데헤아의 얼굴을 생성
한지 얼마 안 됐는데 출연할 일이
자주 생기고 있다. 대활약 or 실책의
이유인데 오늘은 후자... 충분히 막
을 수 있는 슈팅을 알까기로 내주면
서 결국 그것이 결승골이 되고 말았
다. 그러면서 주중 브라이튼전에 이
어 무득점 2연패. 맨유 팬들 입장에
서는 설상가상으로 모예스한테 패배 + 심상찮은 리버풀의 추격.

23/5/9
산티아고 베르나베우, 마드리드
22/23 UCL 4강 1차전
레알 마드리드 1-1 맨시티

지난 시즌 4강의 재탕이지만 이번엔
시티 쪽에 어마어마한 뉴페이스 홀
란드가 있다. 애초 벤제마 vs 홀란드
로 관심이 쏠렸었지만 정작 경기의
주인공들은 비니시우스와 데 브라이
너였다. 둘이 거의 비슷하게 꽂아넣
었고 진정 승부는 2차전으로 간다.

23/5/10
산 시로, 밀라노
22/23 UCL 4강 1차전
밀란 0-2 인테르

명목 상 밀란 홈으로 과거의 인테르 킬러였던 밀전드 셰우첸코와 경기장을 가득 채운 로쏘네리의 팬들이 지켜보는 가운데 그들을 침울하게 되기까지는 저스트 텐미닛. 인테르에게 의외로 쉬운 방향으로 흘러갔고 2차전에서 참사 나지 않는 이상 결승이 보인다.

23/5/11
스타디오 올림피코, 로마
22/23 UEFA 유로파리그 4강 1차전
로마 1-0 레버쿠젠

레알 마드리드 시절 사제 지간인 무리뉴와 사비 알론소의 감독 맞대결. 로마의 보배 보베의 결승골로 역시나 믿고 보는 무리뉴 로마의 유럽 대항전 홈경기였다. 경기가 노잼일지라도 어떻게든 승리는 가져온다. 관건은 반대로 토너먼트 원정 무승인 2차전.

23/5/11
알리안츠 스타디움, 토리노
22/23 UEL 4강 1차전
유벤투스 1-1 세비야

역시나 유로파의 왕 세비야는 달라도 뭔가 다르다. 1차전 원정에서도 승리를 가져가나 싶었는데 유베는 마지막 순간 고양이들(가티)이 겨우 패배에서부터 건져냈다. 거의 1여년만에 터진 포그바의 공격 포인트.

23/5/12
스타디오 올림피코, 로마
22/23 세리에A 35R
라치오 2-2 레체

쟐로로씨(노랑 빨강)가 발작 버튼인 라치오에게는 용납할 수 없는 결과였다. 색도 색이지만 잔류를 다투는 하위권 레체였기에... 또 연패 위기에서 탈출.

23/5/13
빌라 파크, 버밍엄
22/23 프리미어리그 36R
아스톤 빌라 2-1 토트넘

[오피셜] 토트넘 챔피언스리그 진출 실패 확정.

물론 에메리의 빌라가 워낙 훌륭한 팀이 되긴 했지만 토트넘은... 애초 뉴캐슬이랑 맨유 때문에 힘들어보이긴 했으나 할 말이 없다.

23/5/13
스탬포드 브릿지, 런던
22/23 프리미어리그 36R
첼시 2-2 노팅엄 포레스트

스털링과 아워니이의 각각 멀티골. 어차피 잔류로 목표를 달성하고 더 보기 리그 1위를 달리고 있는 첼시라서 여유가 있었다. 잔류를 위하여 싸우고 있는 절박한 노팅엄이 이제는 원정 팀들의 놀이터가 된 이 스탬포드 브릿지에서 그래도 승점 획득에 성공했다.

23/5/13

올드 트래포드, 맨체스터

22/23 프리미어리그 36R

맨유 2-0 울버햄튼

마샬의 선제골과 가르나초의 쐐기
골로 무난하게 승리를 거뒀다. 지금
뒤에서 리버풀의 추격이 엄청나기
때문에 맨유 입장에서는 브레이크를
밟을 여유가 없다.

23/5/13

스타디오 알베르토 피코, 스페치아

22/23 세리에A 35R

스페치아 2-0 밀란

강등권에 위치하며 잔류를 위해 싸
우고 있는 스페치아가 챔피언스리그
진출권을 노리는 밀란의 발목을 잡
았다. 밀란 입장에서 얘기하자면 이
미 4위권 안에 있는 인테르보다 먼
저 경기를 치뤘는데 승점을 추가하
지 못했고, 지금 진행중인 챔스 4강
전에서도 불리한 위치에 있다.

23/5/13
쥐세페 메아짜, 밀라노
22/23 세리에A 35R
인테르 4-2 사수올로

루카쿠의 30번째 생일 당일이었는데 본인이 멀티골을 터뜨리며 자축을 제대로 하였다. 인테르는 모든 경기 포함 7연승이고 다음 경기까지 연승은 아니더라도 챔스 결승행을 노린다.

23/5/14
코무날레 브리안테오, 몬차
22/23 세리에A 35R
몬차 2-0 나폴리

이번엔 원정에서 가드 오브 아너를 받는 나폴리였다. 하지만 나폴리 B군은 감독으로써 굉장한 퍼포먼스를 발휘하고 있는 팔라디노 감독의 몬차 A군한테는 버거웠다.

23/5/14
구디슨 파크, 리버풀
22/23 프리미어리그 36R
에버튼 0-3 맨시티

만수르 시대 이후에도 에버튼 원정에서 고생을 하던 때가 꽤 있던 맨시티인데 지금은 그런 거 없다. 36라운드에서 36호 골을 넣은 홀란드, 그리고 시즌 막판의 귄도안은 그야말로 Fenomeno다. 시티는 11연승으로 올 시즌 프리미어리그 역전 우승에 점점 가까워진다.

23/5/14
에미레이츠 스타디움, 런던
22/23 프리미어리그 36R
아스날 0-3 브라이튼

시티가 지고 아스날 본인들이 이겼어도 될까말까인데 이건 뭐 반대로 됐으니 사실상 끝났다. 시즌 막판을 무섭게 장악하고 있는 시티에 비해 아스날은 리그만 병행하고 있음에도 점점 동력을 잃어가는 듯한 결과가 나오고 있다. 브라이튼에 대한 찬사도 빼놓을 수 없다. 데 제르비의 갈매기들은 이제 진지하게 유로파리그나 컨퍼런스리그를 꿈 꿀 수 있게 되었다.

23/5/14
레나토 달라라, 볼로냐
22/23 세리에A 35R
볼로냐 0-0 로마

무리뉴 인테르 트레블 시절 제자 모 따와의 재회. 로마는 유로파 결승을 위하여 4강 중간에 낀 이 경기를 어쩔 수 없이 놔야 한다. 하지만 원기옥 모으는 와중에 그래도 승점 1점이면 썩 나쁘진 않은 결과.

23/5/14
알리안츠 스타디움, 토리노
22/23 세리에A 35R
유벤투스 2-0 크레모네세

이번 라운드 포함해서 오늘이 시즌 마지막 홈경기도 아니고 한 번 더 남았는데 벌써 새로 나온 다음 시즌 23/24 킷을 착용하고 나왔다. 그 와중에 포그바는 산뜻하게 새 킷을 입고 선발 출전하여 얼마 시나지 않아 또 드러누우며 교체 아웃 되었다. 파졸리와 브레메르의 득점으로 유베는 순위 상으로 다음 시즌 챔피언스 리그가 유력하다 승점 재삭감만 아니라면... 그리고 크레모네세는 안타깝게도 강등이 거의 유력.

23/5/14
RCDE 스타디움, 바르셀로나
22/23 라리가 34R
에스파뇰 2-4 바르셀로나

[오피셜] 바르셀로나 올 시즌 라리가 우승
강등권에 위치하면서 잔류를 위해 싸우고 있는 에스파뇰과의 나름 지역 더비 매치에서 완승을 거두면서 사비 감독 체제에서 첫 리그 우승을 확정지었다. 하필 이렇게 상황이 상극일 때 암울한 쪽의 홈구장에서 우승을 확정 짓고 선수단이 기뻐한 나머지... 그림에는 표현하지 않았지만 위험할 뻔.

23/5/15
킹 파워 스타디움, 레스터
22/23 프리미어리그 36R
레스터 0-3 리버풀

강등권에 위치하며 잔류경쟁 중인 레스터를 가뿐히 때려 잡고 어느덧 7연승을 달리고 있는 리버풀은 맨유와 뉴캐슬을 아주 무섭게 쫓아가고 있다. 살라는 어시스트 해트트릭.

23/5/16

쥐세페 메아짜, 밀라노

22/23 UCL 4강 2차전

인테르 1-0 밀란

통합 3-0

결승으로 가는 길목이자 올 시즌 다섯번째 치뤄진 밀라노 데르비에서 4승 그것도 모두 연속으로 거두며 당당하게 이스탄불로 향하는 '컵자기'의 인테르이다. 09/10 시즌 트레블 이후 13년만에 결승에 오르는 네라쭈리는 내일 결판 날 맨시티-레알 마드리드 승자를 기다린다.

23/5/17

에티하드 스타디움, 맨체스터

22/23 UCL 4강 2차전

맨시티 4-0 레알 마드리드

통합 5-1

경기 시작부터 끝까지 그야말로 충격과 공포의 맨시티였다. 그것도 상대가 챔피언스리그의 제왕 레알이었기에... 작년 시티 입장에서 악몽같았던 4강 2차전의 설욕을 아주 배로 갚아주며 2년만에 다시 결승에 올랐고 언더독으로 평가 받지만 3회의 빅이어 경험이 있는 인테르와 붙는다.

23/5/18
바이 아레나, 레버쿠젠
22/23 UEL 4강 2차전
레버쿠젠 0-0 로마
통합 0-1

로마의 상황 상 스쿼드를 제대로 꾸릴 수 없는 상황에서 무리뉴는 수비축구의 전문가답게 스탯에서도 알 수 있듯 시종일관 극단적으로 틀어막는 선택을 했다. 시청하는 입장이나 두드리다 지친 쪽 입장에서는 비판적인 의견이 나올 수도 있지만 결국에는 결과를 냈다. 그러면서 지난

시즌에 이어 2연속 유럽 대항전 결승에 오르게 됐고 사실 이것에 대해 "꼬우면 1차전에 먹히지 말던가 아니면 뚫고 넣던가" 라고 말해도 할 말은 없다.

23/5/18
라몬 산체스 피츠후안, 세비야
22/23 UEL 4강 2차전
세비야 2-1 유벤투스
통합 3-2

유로파리그 무대만 오면 조상님이 잠깐 깨어나서 우주의 기운을 몰아주는 듯한 세비야는 이번에도 결승행까지는 어김이 없었다. 이번엔 세리에 출신이기도 한 수소(밀란)와 라멜라(로마)가 유베를 무너뜨리고 팀을 결승에 올리며 다른 세리에팀 로마를 상대로 통산 7번째 우승을 노린다.

23/5/20
토트넘 핫스퍼 스타디움, 런던
22/23 프리미어리그 37R
토트넘 1-3 브렌트포드

[오피셜] 토트넘 유로파리그도 실패 확정

저번 라운드에선 챔스도 못 들어가 더니 이번엔... 시즌 마지막 홈경기에 서 올 시즌 복병 중 하나로 꼽히는 브렌트포드에게 제대로 덜미를 잡히 면서 마지막 라운드에서 어쩌면 유 로파 컨퍼런스 리그마저도 위태로운 상황에 놓이게 되었다. 그리고 루카스 모우라와 이제 작별.

23/5/20
바이탈리티 스타디움, 본머스
22/23 프리미어리그 37R
본머스 0-1 맨유

동시간 대에 리버풀이 실족하는 동 안 맨유 본인들은 카세미루의 한 방 으로 승리하면서 챔피언스리그 진출 에 거의 가까워졌다.

23/5/20
안필드, 리버풀
22/23 프리미어리그 37R
리버풀 1-1 아스톤 빌라

이전까지 파죽의 7연승으로 챔피언 스리그 존을 바짝 쫓고 있던 리버풀 은 여기서 브레이크가 걸리고 말았 다. 이제 올 시즌을 끝으로 팀을 떠 날 4명 중 레전드로 대우 받을 만한 선수는 밀너와 피르미누 둘인데 피 르미누는 그 와중에 마지막까지 득 점을 터뜨리면서 뭉클하게 하였다. 이렇게 안필드에서 승점을 따낸 에 메리의 빌라도 유럽대항전 진출 가능성 희망이 생겼다.

23/5/20
시티 그라운드, 노팅엄
22/23 프리미어리그 37R
노팅엄 포레스트 1-0 아스날

[오피셜] 맨시티 올 시즌 프리미어 리그 우승 확정
[오피셜] 노팅엄 포레스트 잔류 확정

이 경기 결과 하나로 두 개의 오피 셜을 띄울 수 있었는데 비중을 두자 면 당연히 우승팀 여부였다. 강등로 이드 제대로 밟고 있는 노팅엄을 아 스날이 당해내지 못하고 내일 경기 가 있는 맨시티가 타력으로 인하여 미리 우승을 당했다.

23/5/20
산 시로, 밀라노
22/23 세리에A 36R
밀란 5-1 삼프도리아

챔피언스리그 4강에서 연달아 뺨 맞고 이미 강등된 삼프도리아에게 제대로 화풀이하는 밀란이다. 36세의 지루가 로쏘네리의 유니폼을 입고 첫 해트트릭을 달성했다. 그리고 40세 콜리아렐라의 득점은 올 시즌이 끝나기 전 자신의 1호골이자, 산 시로에서의 마지막 골, 그리고 어쩌면 세리에A에서의 마지막 골이 될 수도 있어서 여러 가지 의미를 담고 있다.

23/5/21
에티하드 스타디움
22/23 프리미어리그 37R
맨시티 1-0 첼시

어제 이미 우승 당한 맨시티는 마지막 홈경기에서 첼시 선수 들의 가드 오브 아너를 받게 되었다. 어제 아스날 덕분에 심장에 덜 푸른 부분이 있는 스털링과 램파드는 대놓고 시티를 축하해줘야 했다. 경기는 시티 1군 vs 첼시 2군이어도 결과는 역시 전자가 가져갔다. 그리고 나름 6년 전 챔피언이었던 첼시는 저기서 박수 치고 있는 심정이 어떨지는 모르지만 올 시즌은 정말 꼴이 말이 아니다.

맨시티 22/23 프리미어리그 우승

3연패, 통산 9번째 그리고 올 시즌의 경우는 무려 트레블에 도전하는 상황이기에 그 어느때보다도 주목을 받고 있다.

23/5/21
디에고 아르만도 마라도나, 나폴리
22/23 세리에A 36R
나폴리 3-1 인테르

[오피셜] 나폴리 올 시즌 세리에A 모든 팀에게 최소 한 번 이상 승리. [갈]이 끼어 있다면 2군도 사치다. 전반도 끝나기 전에 경고 누적 퇴장을 당하면서 6~7년간 쌓였던 인테르 팬들의 분노는 극에 달하고 말았다 아직 4위권으로 마치는게 확정되지 않은 상황이기에.

23/5/21
다치아 아레나, 우디네
22/23 세리에A 36R
우디네세 0-1 라치오

굉장히 까다로운 우디네세 원정이었으나 신승을 거둔 라치오는 다음 시즌 챔피언스리그 진출에 거의 근접하였다.

23/5/22
스타디오 올림피코, 로마
22/23 세리에A 36R
로마 2-2 살레르니타나

잔류를 위해 파울로 소우사를 사령탑으로 앉힌 살레르니타나는 효과를 제대로 보고 있으며 끈적끈적한 컨셉으로 오늘도 유로파 결승팀 로마를 상대로 결과를 냈다. 로마는 유로파에서 우승하면 상관이 없겠지만 그렇지 못할 경우 올 시즌도 리그 4위에 들 가능성은 낮아졌다.

23/5/22
카를로 카스텔라니, 엠폴리
22/23 세리에A 36R
엠폴리 4-1 유벤투스

[오피셜] 회계조작 유벤투스 승점 -10 재삭감

겨울에 -15점 삭감됐다가 봄에 다시 돌아왔다가 이번에 또 다시... 이 경기 직전에 들려온 소식이다. 거의 시즌 막바지에 다시 삭감 당하면서 2위에서 7위로 추락했는데 그에 대한 충격을 받은건지 몰라도 엠폴리한테 무려 4실점을 하며 그들은 2중 고통을 겪어야 했다.

23/5/24
스타디오 올림피코, 로마
22/23 코파 이탈리아 결승
인테르 - 피오렌티나

23/5/24
스타디오 올림피코, 로마
22/23 코파 이탈리아 결승
피오렌티나 1-2 인테르

각각 컨퍼런스리그와 챔스 결승을 앞두고 있는 두 팀의 결승전 이르게 선제골을 먹혔으나 전반에 라우타로의 멀티골로 역전을 해낸 인테르가 끝까지 잘 지켜내며 지난 시즌에 이어 2연패에 성공. 이역시도 심자기의 업적인데 경이로울 수준이다. 2023년 심자기의 3가지 컵대회 성적: 9승 3무... 이제 1승만 더하면...?!

인테르 22/23 코파 이탈리아 우승

23/5/24
아멕스 스타디움, 브라이튼
22/23 프리미어리그 32R (순연경기)
브라이튼 1-1 맨시티

[오피셜] 브라이튼 유로파리그 진출 확정

올 시즌 멋진 모습을 보여준 브라이튼. 이미 리그 우승 확정 짓고 시상식까지 마친 맨시티라지만 그래도 쉽지 않았을텐데 승점을 따내면서 122년의 구단 역사상 최초의 유럽 대항전 진출이라는 대업을 달성했다. 순서상 팀의 37번째 리그 경기에서 홀란드의 37호 골이 터지면서 결국 이 경기도 역전승으로 가져가나 싶었지만 VAR 판독 결과 오프사이드로 취소.

23/5/24
올드 트래포드, 맨체스터
22/23 프리미어리그 32R (순연경기)
맨유 4-1 첼시

[오피셜] 맨유 챔스 복귀 확정

예전 같았으면 보통 결과를 예측하기 어려운 빅매치였을텐데 애초부터 맨유의 승리가 일방적으로 점쳐지는 경기였다. 실제로도 맨유의 잔치였고 첼시의 승점 선물을 조공 받은 맨유는 결국 올 시즌 4위권에 성공하였다. 이는 또 한 리버풀의 챔피언스리그 진출 실패를 의미하기도 한다. 올 시즌 더 잃을 것도 없는 첼시는 주앙 펠릭스의 한 골 만회를 얻었다.

23/5/27
아르테미오 프란키, 피렌체
22/23 세리에A 37R
피오렌티나 2-1 로마

유로파 컨퍼런스 리그 결승을 앞두고 있는 피오렌티나는 다음 23/24 시즌 새로운 킷을 입고 나왔다. 그러면서 유로파 리그 결승을 코앞에 두고 있는 로마에게 역전승을 거뒀다. 두 팀에게 행운을...!

23/5/27
쥐세페 메아짜, 밀라노
22/23 세리에A 37R
인테르 3-2 아탈란타

[오피셜] 인테르 다음 시즌도 챔피언스리그 진출 확정

인테르가 최근 4경기동안 얻은 것: 챔스 결승 진출 - 갈리아르디니 한 경기라도 더 안 볼 권리 - 코파 이탈리아 우승 - 다음 시즌 챔스 본선 진출. 아탈란타는 최소 유로파나 컨퍼런스는 간다.

23/5/28

레나토 달라라, 볼로냐

22/23 세리에A 37R

볼로냐 2-2 나폴리

올 시즌 팀의 우승에 이어 개인 득점왕도 노리고 있는 오시멘은 오늘 멀티골을 추가하면서 사실상 득점왕에 거의 근접했다. 볼로냐는 후반기에 빅6를 상대로 모두 홈경기를 치뤘는데 티아고 모따가 선수 시절 영광을 거둔 인테르를 상대로만 승리하고 나머지 모두 무승부로 무패.

23/5/28

브렌트포드 커뮤니티 스타디움

22/23 프리미어리그 38R

브렌트포드 1-0 맨시티

브렌트포드 올 시즌 리그 챔피언이자 트레블에 도전하는 시티를 상대로 1승도 아니고 더블을 거둔다. 득점왕을 차지 하게 된 홀란드는 36골로 마무리 되었는데 결국 40골을 못 넘겼으니 실패한 영입(?). 다음 시즌 킷을 발표하고 새로 착용하고 나온 시티는 리그 기준 16경기, 전체 26경기 연속 무패 행진을 달리고 있었는데 여기서 다 리셋되었다. 시티 입장에서는 남은 두 경기 중에서 끊기는 것보다는 차라리 여기서 끊기는게 나을 것이다. 챔피언스리그 결승 상대인 인테르는 시티가 동기부여가 있을 때나 없을 때나 다 이겨본 브렌트포드에게 좀 배워야 할 듯.

23/5/28
에미레이츠 스타디움, 런던
22/23 프리미어리그 38R
아스날 5-0 울버햄튼

아스날 덕분에 그래도 올 시즌 프리미어리그에 '우승 경쟁'이라는 것이 존재했고 지루하지 않았다. 다음 시즌 새 킷을 입고 나왔는데 개인적으로 이상한 번개 문양 빼고는 훨씬 나은 듯 하다. 확실히 금장이 반 이상은 먹여 살리는 듯...? 경기는 마찬가지로 동기부여가 없는 울브스를 상대로 시즌유종의 미를 확실하게

거두면서 테타볼은 다음 시즌을 기약한다.

23/5/28
올드 트래포드, 맨체스터
22/23 프리미어리그 38R
맨유 2-1 풀럼

둘 다 이미 목표 달성은 했기 때문에 별로 중요한 경기는 아니었지만 맨유는 FA컵 포함하여 올 시즌 풀럼을 상대로 3전 전승을 가져갔다. 페널티킥 선방에 일가견이 별로 없던 데헤아가 올 시즌 리그 골든 글러브 수상자 답게 PK 선방을 해냄으로써 역전승의 시발점을 만들어주었다. 하지만 맨유는 아직 시즌이 끝난게

아니다. 다음 주에 지역 라이벌 맨시티와의 FA컵 결승을 앞두고 있고 챔피언스리그 결승 이전에 본인들 자력으로 직접 트레블을 저지할 기회이다.

23/5/28
스탬포드 브릿지, 런던
22/23 프리미어리그 38R
첼시 1-1 뉴캐슬

더보기 리그 상위권의 첼시는 이미 챔피언스리그 진출을 확정 시킨 4위의 뉴캐슬과 홈에서 비겼는데 이쯤 되니까 이게 심지어 잘한 결과로 보인다. 첼시팬들은 기쁠 것이다 드디어 이 지옥과 악몽의 연속이던 시즌이 드디어 끝나서... 포터 경질 후 잔여 경기들을 떼우는 차원에서 투입된 램파드는 그래도 첼전드답게 팀의 어마어마한 문제점들을 읊어주었다. 23/24 시즌부터 정식으로 이끌게 될 포체티노 감독이 과연 얼마나 고쳐낼 수 있을지...?

23/5/28
세인트매리스 스타디움, 사우스햄튼
22/23 프리미어리그 38R
사우스햄튼 4-4 리버풀

올 시즌 최하위로 강등 당해서 챔피언쉽으로 갈 준비를 하는 사우스햄튼. 그리고 올 시즌은 이미 목표 달성에 실패하고 실망스럽게 끝난 리버풀에게는 여러 훌륭한 선수들을 안겨다 준 고마운 팀이기도 하다. 친선 경기답게(?) 아주 화끈한 경기를 펼쳤다. 이미 지난 라운드 안필드에서 마지막 경기를 가진 피르미누는 진짜 마지막 경기에서까지 득점을 또 올리며 본인도 글썽이고 콥들도 글썽이게 만들었다.

23/5/28

22/23 프리미어리그 38R

리즈 1-4 토트넘/ 아스톤 빌라 2-1 브라이튼

유로파 컨퍼런스리그(7위) 경쟁... 토트넘은 이마저도 낙마. 최종적으로 빌라에게 아주 오랜만의 유럽 대항전 진출이 선사. 케인은 리그에서만 30골 넣고도 유럽대항전도 놓치고 올 시즌 웬 굴러온 괴물 난입으로 득점왕마저 놓쳤다.

에버튼 1-0 본머스/ 레스터 2-1 웨스트햄

잔류 경쟁 - 에버튼 73년의 생존왕 역사는 쭉 이어졌다.그 중에서도 불과 7년 전 '챔피언 시절'이 있었던 레스터 시티는 또 언제 돌아올지 모르는 프리미어리그 무대를 떠난다.

23/5/28
스타디오 올림피코, 로마
22/23 세리에A 37R
라치오 3-2 크레모네세

라치오에서 15년간 몸담았던 레전드 슈테판 라두는 현역 은퇴를 앞두고 마지막 홈경기를 가졌다. 그래서 이제서야 처음 그리게 되었다. 또한 라치오에게는 이틀 전인 5월 26일이 코파 이탈리아 10주년이었다. 그동안 코파 우승이 없었던 것은 아니지만 12/13 시즌 결승은 로마를 상대로 거둔 우승이라 그런지 구단 내에서도 얼마나 특별히 기념하는지 스페셜 킷까지 만들어서 착용시키고 나온 것을 보면 알 수 있다. 지난 라운드에서 이미 강등이 확정된 크레모네세를 상대로 난타전 끝에 승리를 거두며 최종 2위가 유력하게 되었다.

23/5/28
알리안츠 스타디움, 투린
22/23 세리에A 37R
유벤투스 0-1 밀란

[오피셜]밀란 다음 시즌도 챔스 진출. 시즌 마지막 빅매치라고도 할 수 있는데 지루의 뚝배기 한 방으로 밀란이 승리를 가져가면서 결국 4위권 확정. 사실 유베는 7위권 내에서 어느 위치에 있더라도 UEFA에 의해 유럽대항전 자격이 박탈될 수 있는 상황이다. 따라서 유로파나 컨퍼런스 리그 조차도 진출권이 넘어갈 수도 있어서 팬들로써는 경기만큼이나 참 답답하기 그지없는 상황.

23/5/31

푸스카스 아레나, 부다페스트

22/23 UEFA 유로파리그 결승전

세비야 (pk 4-1) 1-1 로마

만치니의 어시스트, 자책골, 그리고 승부차기 실축까지... 결국 또 승자는 세비야였다. 유럽 대항전 결승 100% 승률이었던 무리뉴 감독은 유로파 결승 100%의 세비야를 넘지 못하며 깨지고 말았다. 그리고 앤서니 테일러가 이런 중요한 결승전에 배정되었는데 결국 우려대로 사고를 쳤다.

세비야 22/23 유로파리그 우승

'세비야 유로파리그 우승' 이라는 명제가 이쯤되면 굉장히 자연스럽고 당연한 걸로 여겨진다. 통산 7번째인데 UEFA컵 시절부터 쳐도 그 7회가 모두 21세기.

23/6/3
웸블리 스타디움, 런던
22/23 FA컵 결승전
맨시티 2-1 맨유

경기 시작 후 맨유가 뭔가 정비를 하기도 전에 귄도안이 13초만에 벼락 같은 선제골을 터뜨렸다. 맨유는 이후 크게 흔들리지 않고 차근차근히 PK를 얻어 올 시즌 FA컵에서의 맨시티에게 첫 실점을 안겼다. 하지만 시즌 막판만 되면 Fenomeno가 되는 귄도안이 또 한 건 해내면서 결국 더블까지 달성. 모두 KDB의 어시스트.

맨시티 22/23 FA컵 우승

4년만에 통산 9번째 FA컵 우승을 달성. 이제 트레블에 한 걸음 다가섰다. 잉글랜드 유일한 트레블 클럽 맨유 입장에서는 라이벌팀이 그 트레블 클럽에 가입하는걸 직접 막을 수 있는 기회였지만 실패했고 이제 인테르만이 남았다.

23/6/3
스타디오 올림피코 그란데 토리노
22/23 세리에A 38R
토리노 0-1 인테르

모든 세리에A 팀들은 이번이 시즌 마지막 경기이지만 인테르는 대망의 한 경기가 더 남아있다. 리그 마지막 경기 승리로 유종의 미를 거뒀고 이제 다음 주에 네 번째 빅이어를 향하여 이스탄불로 간다.

23/6/3
카를로 카스텔라니, 엠폴리
22/23 세리에A 38R
엠폴리 0-2 라치오

챔피언 제외한 19개 팀 중 라치오 우승! 라치오도 최종전 승리로 본인들이 2위 그리고 인테르가 3위에 랭크되는 것이 확정되었다. 라치오는 선택과 집중을 한 건지는 모르겠으나 유럽 대항전에서 크게 아쉬움을 남겼지만 리그에서 해낸 그들의 올 시즌 성과는 매우 훌륭하다. 거의 사기급으로 잘한 나폴리 외에 가장 잘한 팀. 그러니까 다음 시즌 챔피언스리그에서도 경쟁력을 보여주며 좋은 그림 그릴 수 있도록 기대해본다.

23/6/4
디에고 아르만도 마라도나, 나폴리
22/23 세리에A 38R
나폴리 2-0 삼프도리아

[오피셜] 오시멘 올 시즌 득점왕, 최고의 공격수/ 크바라 최고의 미드필더/ 김민재 최고의 수비수. 그리고 이미 강등된 팀에서. 이 경기가 은퇴 경기가 되는 콸리아렐라는 과거에 나폴리 소속으로 뛴 적이 있기도 해서 충분히 모든 홈팬들의 박수와 리스펙트를 받을만한 자격이 있다.

나폴리 세리에A 22/23 우승

23/6/4

22/23 세리에A 38R

밀란 3-1 베로나: 밀란은 결국 챔스 진출권을 따냈고 즐라탄을 떠나보냈다.

아탈란타 5-2 몬차: 코프메이너르스의 해트트릭으로 유럽대항전에 다시 복귀.

로마 2-1 스페치아: 로마의 유로파 리그 트로피는 날아갔지만 다시 진출하여 도전을 펼친다 비록 챔스가 아니라 아쉽지만...

우디네세 0-1 유벤투스: 유베는 승리했지만 나머지 경쟁팀들이 모두 승리하는 바람에 7위에 랭크되었다. 물론 최종적으로 -10점 삭감을 안고 마쳐서 그런거긴 하지만... UEFA 징계 여부도 어찌 될지 몰라 사실 컨퍼런스 리그도 나갈 수 있을지 없을지 모른다.

스페치아 vs 베로나 강등 플레이오프: 원래대로면 베로나가 강등되는게 맞는데 승점이 동률이라는 사유로 플레이오프를 굳이 치루는건 04/05 시즌 폐지됐다가 최근에 다시 부활됐는데 걸려들게 되었다. 이렇게 되면 17위로 마친데다가 늦은 시간에 PK를 내주며 석패를 당한 스페치아 입장에서는 상당히 찜찜.

23/6/7
포르투나 스타디움, 프라하
22/23 UEFA 컨퍼런스리그 결승
피오렌티나 1-2 웨스트햄

경기 중 웨스트햄 팬들이 던진 컵에
맞은 피렌체의 주장 비라기는 외적
인 요소 때문에 때 아닌 피를 흘리
며 붕대 투혼 을 펼쳤다. 경기 전에
어느 쪽 팬들로 인해 충돌 사태가
일어났고 자시고 간에 저 행위는 명
백하게 인과 관계가 성립할 수 없고
그래서는 안 된다. 그래서 그 비라기
가 PK를 허용하게 된 것은 과연 컵
투척 크리로 인한 악영향이 없었던
것일지...?

웨스트햄 22/23 유로파 컨퍼런스리그 우승

팬들이 컵을 던지고 선수들이 컵을 들어올렸다. 구단이 58년만에 들어올린 유럽대항전 트로피였다. 모예스는 감독 커리어 내내 제대로 된 유일한 트로피는 10년전 맨유를 맡고 치른 맨 첫 공식 경기였던 2013 커뮤니티 쉴드에서 이뤄낸거였다. 근데 그 대회는 한 경기만 이기면 우승하는거니까 가치가 다소 떨어진다. 이 우승은 일단 낮 빅클럽을 데리고 직접 이 대회에 진출시키면서 첫 단계인 조별리그부터 쭉 토너먼트 단계를 밟아가며 차곡차곡 올라와서 온전히 본인의 능력으로 이뤄낸건 맞으니 가장 값진 트로피라 할 수 있다.

피오렌티나가 우승했어도 본인들에게는 대박이었을 21/22 시즌부터 생긴 이 신흥 대회는 리그에서 상위권에 못 드는 규모의 클럽이어도 꿈과 희망을 심어줄 수 있다는 점에서 긍정적이다.

23/6/10
아타튀르크 올림픽 스타디움, 이스탄불
22/23 UEFA 챔피언스리그 결승
맨시티 - 인테르

결승 1회 빅이어 경험 0회의 정배 맨시티 vs 결승 5회 빅이어 경험 3회의 역배 인테르. 대망의 챔스 결승이 다가온다.

23/6/10
아타튀르크 올림픽 스타디움, 이스탄불
22/23 UEFA 챔피언스리그 결승전
맨시티 1-0 인테르

내셔널리즘이 강력한 찰하노글루의 나라, 크로아티안 토테미즘, 달걀 동영상, 그리고 챔스 우승과 트레블 고기좀 먹어본 구단을 상대로 한 부담감 등 이 모든 것들을 뚫고 시티가 결국 목표를 달성하였다. 인테르는 루카쿠의 부재가 뼈아프다(?).

22/23 UEFA 챔피언스리그 우승팀 맨시티 선발 라인업

프리미어리그 우승, FA컵 우승 그리고...

맨시티 22/23 챔피언스리그 우승 및 트레블

구단 역사상 최초이자 역대 8번째 트레블 팀이 되었다.

23/6/11
마페이 스타디움, 치타 델 트리콜로레
22/23 세리에A 강등 플레이오프
스페치아 1-3 베로나

"맨시티랑 인테르가 누구?"
스페치아가 가나 2010, 베로나가 우루과이 2010, 그리고 파라오니는 수아레즈 2010 역할을 하면서 승부에 결정적 영향을 끼쳤다. 강등권 순위에 떨어진 적도 없던 스페치아가 강등을 당하며 이번 P.O 제도 부활의 굉장히 억울한 피해자라고 할 수도.

23/6/14

스타디온 페예노르트, 로테르담

22/23 UEFA 네이션스리그 4강

네덜란드 2-4 크로아티아

모드리치가 아직 건재한 가운데 최근 월드컵 연속 4강 이상을 밟고 있는 연장전의 강자 크로아티아가 이번에는 기필코 첫 메이저 대회 우승을 노린다. 4강 팀들 중에 가장 간절하다고 할 수 있다. 한 편 4강 개최국으로 선정됐음에도 프랑스전에 이어 또 4실점을 거두며 결승 진출에 실패한 쿠만 감독은... 어찌 하면 좋을꼬.

23/6/15

워커스 스타디움, 베이징

친선 경기

아르헨티나 2-0 호주

아르헨티나가 지난 2002 월드컵 정상에 오르는 과정에서 있었던 호주(16강)를 중립국인 중국에서 친선으로 만나 이번에도 승리를 가져갔다. 아르헨티나와 메시를 응원하는 중국 팬들로 인하여 거의 아르헨티나 홈 분위기에서 경기 시작 단 1분 13초만에 터진 메시의 벼락같은 득점이 있었다. 메시와 포옹 한 번 하는 한을 푼 대륙 급식이의 난입 해프닝도 있었다.

23/6/15
데 그롤쉬 베스터, 엔스헤데
22/23 UEFA 네이션스리그 4강
스페인 2-1 이탈리아

보누치 曰: "더 이상의 준우승은 없다!" 이탈리아는 자국 대표팀 창단 125주년이랍시고 만든 이게 이탈리아인지 세비야인지 뭔지 모르겠는 스페셜 킷을 입고 나와서는 스페인에게 패하며 우승은 커녕 결승 진출에도 실패했다. 보누치 말대로 실현되었다. 어차피 우승 못할거면 그게 나을지도 모른다 안그래도 이탈리아는 세 개의 클럽 팀 세 대회 준우승, U-20 대표팀 월드컵 준우승의 쓴 맛을 봤으니.

23/6/16
에스타디우 두 알가르베
유로 2024 예선 B조 3차전
지브롤터 0-3 프랑스

프랑스 역대 최다 득점 기록을 이어나가는 지루 그리고 그 뒤를 열심히 쫓아가는 음바페. 지브롤터 입장에서 자책골 하나와 PK 포함하여 3실점이면 선전한 것으로 보인다.

23/6/16
타칼리 내셔널 스타디움, 발레타
유로 2024 예선 C조 3차전
몰타 0-4 잉글랜드

잉글랜드 역대 최다득점 기록을 이어나가는 케인. 몰타 입장에서 자책골 1개와 PK 2개를 포함하면 필드골 1실점이기에 그나마 선전한 것으로 보인다.

23/6/17
스타드 로아 바우두인, 브뤼셀
유로 2024 예선 F조 3차전
벨기에 1-1 오스트리아

알라바는 오늘 A매치 100번째 출장으로 센츄리 클럽에 가입하였다. 홈 경기에서 0-1로 끌려 가던 벨기에를 구해낸 자 루카쿠였다. 인테르팬 曰: "일주일 전에도 저렇게 터뜨려 줬다면..."

23/6/17

에스타디우 다 루즈, 리스본

유로 2024 예선 J조 3차전

포르투갈 3-0 보스니아

전 맨유, 전 맨시티 선수인 호날두와 제코가 주장이자 팀의 정신적 지주로 있는 가운데, 현 맨유, 현 맨시티 선수인 브루누 페르난데스와 베르나르두 실바의 득점으로 포르투갈의 완승.

23/6/17

RCDE 스타디움, 바르셀로나

친선 경기

브라질 4-1 기니

스페인 에스파뇰의 홈구장에서 치른 중립 경기. 브라질 대표팀은 지난 시즌 말미에 있었던 충격적인 비니시우스 인종차별 사건과 관련하여 전반에는 검은 킷, 후반에는 원래 킷을 입는 이색적인 퍼포먼스를 하였다. 또 마침 비니시우스 포함한 세 명의 레알 마드리드 선수들이 득점... 어느 팀의 팬들을 향한 저격인지는 당사자들이 자각해야.

23/6/18

데 그롤쉬 베스터, 옌스헤데

22/23 UEFA 네이션스리그 3,4위전

네덜란드 2-3 이탈리아

월드컵 8강 그리고 우승팀에게 아깝게 떨어졌던 네덜란드는 쿠만이 대표팀으로 복귀한 후 벌써 몇 골을 실점했는지 답 없는 팀으로 전락해서 이탈리아가 3위를 차지한 느낌은 있다. 안 그래도 클럽, U-20 팀 안 가리고 연이은 준우승의 매운 맛을 보고 있던 이탈리아였는데 A대표팀은 그나마 기분 좋게(?) 마무리할 수 있었다. 20/21에 이어 연속 3위.

23/6/18

스타디온 페예노르트, 로테르담

22/23 UEFA 네이션스리그 결승

크로아티아 0-0 (pk 4-5) 스페인

연장전을 돌입했으니 이 부문 최강자 크로아티아가 어떻게든 이길 수 있겠구나 싶었는데 빅 데이터가 빗나가버렸다. 반대로 승부차기라면 치가 떨릴 스페인이 반전을 일으키며 네이션스 리그 세번째 우승국에 이름을 올렸다. 반면 메이저 대회 우승이 간절했던 모드리치와 아이들은 또 한 번 좌절. 2018 프랑스야 전력차가 컸다고 해도 이쯤되면 이번에는 좀 화가 날지도.

359

스페인 네이션스리그 22/23 우승 🏆

20/21 프랑스에 이어서 스페인은 이로써 월드컵, 유로, 네이션스리그 3개의 대회를 제패한 두번째 국가가 되었다.

23/6/19
우타마 젤로라 붕 카르노, 자카르타
친선 경기
인도네시아 0-2 아르헨티나

"진지하게 물어본다 메시는 어디 있습니까?" 휴가 갔다고 한다. 안 그래도 해외축구에 열정 많은 인도네시아에 사전 전달되지 않은건지는 모르겠지만... 메시 없는 월드 챔피언 아르헨티나가 승리하긴 했지만 인도네시아 입장에서는 선방.

23/6/19

스타드 드 프랑스, 파리

유로 2024 예선 B조 4차전

프랑스 1-0 그리스

유로 2004 본선 8강에서의 복수를 위해 19년을 기다려 왔다... 2006년 앙리의 결승골로 프랑스가 1-0으로 승리한 적은 있으나 그것은 친선경기.

23/6/19

올드 트래포드, 맨체스터

유로 2024 예선 B조 4차전

잉글랜드 7-0 북마케도니아

잉글랜드 역대 최다 득점 기록을 끊임없이 이어가는 케인, 해트트릭을 터뜨린 사카, 그리고 자신의 홈구장에서 득점을 터뜨린 래쉬포드 등 잉글랜드는 북마케도니아를 완전히 묵사발냈으며 이로 인해 같은 조에서 대기 중인 이탈리아는 오늘도 1패 추가. 누구는 저런 팀한테 월드컵 플레이오프 홈경기에서도 지는데...

23/6/20

르 코크 스타디움, 탈린

유로 2024 예선 F조 4차전

에스토니아 0-3 벨기에

벨기에 대표팀 주장 완장 관련 이슈로 쿠르투아가 돌연 대표 팀 하차를 했다 무슨 핀트로 엇나간지는 모르겠지만. 어쨌든 주장 완장을 달고 나선 루카쿠는 멀티골을 터뜨리면서 월드컵 본선 때, 그리고 10일 전 챔피언스리그 결승 때와는 전혀 다른 활약을 해주고 있다. 물론 상대 팀 난이도 고려도 해야겠지만...

23/6/20

Laugardalsvöllur, 레이캬비크

유로 2024 예선 J조 4차전

아이슬란드 0-1 포르투갈

호럼버스는 아무도 가보지 못한 길을 개척하고 있다. A매치 100경기로 센츄리 클럽 가입도 쉽지 않은 일인데 더블 센츄리 클럽... 200경기 째를 달성했다. 2003년에 대표팀 데뷔를 한 호날두는 1년에 10경기씩 뛴 셈이고 전세계 A매치 최다 득점 기록도 멈출 줄을 모른다. 오늘은 팀에게 승리를 선사하는 막판 결승골이었다.

23/6/20
벨틴스 아레나, 겔젠키르헨
친선 경기
독일 0-2 콜롬비아

또 졌다. 안 그래도 월드컵도 연달아 망한 독일은 유로 2024 개최를 앞두고 올해부터 준비 차원에서 친선 경기를 치르고 있다. 결과는 4경기 치뤄서 1무 3패 심지어 그 중 3경기가 홈. 반면 승리한 원정팀 콜롬비아는 다음 월드컵은 진출할수 있을 것으로 예상된다 더군다나 출전국이 늘어난지라.

23/6/20
에스타디우 조세 알바라데, 리스본
친선 경기
브라질 2-4 세네갈

브라질과 언어만 같은 포르투갈에서 치른 이 중립 경기는 지난 2022 월드컵에 마네 없이 출전한 세네갈이 이렇게라도 브라질을 상대로 한풀이를 했다. 물론 마네의 개인 한풀이이기도.

이걸 끝까지 다 본 당신도 챔피언이다.

블로그

대단히 감사합니다!

인스타

PicCalcio 2022/23

발 행 | 2024년 5월 27일
저 자 | 장원석
펴낸이 | 한건희
펴낸곳 | 주식회사 부크크
출판사등록 | 2014.07.15.(제2014-16호)
주 소 | 서울특별시 금천구 가산디지털1로 119 SK트윈타워 A동 305호
전 화 | 1670-8316
이메일 | info@bookk.co.kr

ISBN | 979-11-410-8656-5

www.bookk.co.kr